W9-ATF-208

Chicago Public Library
McKinley Park Branch
1915 W. 35th Street
Chicago, Illinois 60609
(312) 747 - 6082

WILLIAMS-SONOMA

COCINAALINSTANTE vegetariana

RECETAS
Dana Jacobi

EDITOR GENERAL
Chuck Williams

FOTOGRAFÍA
Bill Bettencourt

TRADUCCIÓN
Laura Cordera L
Concepción O. de Jourdain

contenido

30 MINUTOS DE PRINCIPIO A FIN

15 MINUTOS DE PREPARACIÓN

HAGA MÁS PARA ALMACENAR

la razón de este libro

El libro *Vegetariana* de la serie Cocina al Instante ofrece recetas sustanciosas y deliciosas que cualquiera puede disfrutar. Al utilizar productos frescos de temporada y especias atrevidas de todo el mundo, estos innovadores platillos presentan una alternativa saludable para la comida o la cena. La mayoría de las recetas de este libro se pueden preparar y llevar a la mesa en menos de 30 minutos. El Risotto de Hongos Silvestres con Chícharos es el platillo perfecto para servirse en una comida o cena rápida y sustanciosa del diario. Las recetas como las Verduras Asadas con Mantequilla de Salvia requieren únicamente de 15 minutos de preparación, dejándole más tiempo libre mientras se hornean.

Haga una buena cantidad de Salsa de Jitomate Sazonado para servir sobre una pasta esta noche y tendrá suficiente salsa para preparar otras recetas como la Lasagna de Polenta o la Berenjena a la Parmesana para cualquier otro día de la semana. También encontrará sugerencias y consejos para planear por adelantado, elegir y almacenar las verduras frescas y preparar guarniciones rápidas y sencillas que complementen sus alimentos, herramientas que le ayudarán a convertirse en un cocinero más organizado e inteligente.

Chuck

30 minutos de principio a fin

ensalada de edamame, elote y jitomate

Granos de elote fresco o congelado, 3/4 taza (155 g/ 5 oz)

Edamame congelado desenvainado, 1 1/2 taza (280 g/9 oz)

Jitomate cereza, 12, partidos a la mitad

Aguacate, 1 grande, sin hueso, sin piel y partido en cubos

Jugo de limón fresco, 2 cucharadas

Sal y pimienta recién molida

Aceite de canola, 1 cucharada

Lechuga francesa, 8 hojas oscuras del exterior

Cilantro fresco, 2 cucharadas, picado

4 PORCIONES

1 Cocine el maíz y el edamame

Hierva agua en una olla grande y tenga a la mano un tazón con agua con hielo. Agregue los granos de elote y el edamame al agua hirviendo; cocine durante 3 minutos. Usando una cuchara ranurada, pase al tazón con agua con hielo. Escurra los granos de elote y el edamame, coloque en un tazón grande y agregue los jitomates y el aguacate.

2 Arme la ensalada

En un tazón pequeño bata el jugo de limón con una cucharadita de sal y 1/8 cucharadita de pimienta. Integre el aceite lentamente, batiendo. Vierta el aderezo sobre la ensalada y mezcle ligeramente para integrar. Acomode las hojas de lechuga sobre un platón de servicio y, usando una cuchara, cubra con la ensalada. Adorne con el cilantro y sirva.

sugerencia del chef

Edamame es la palabra japonesa que se le da al frijol de soya. Edamame es un delicioso y saludable refrigerio. Las vainas se hierven ligeramente en agua, se salan y simplemente se presionan para sacar las semillas de las vainas.

sugerencia del chef

Asegúrese de elegir un queso ricotta de buena calidad. Para obtener los mejores resultados coloque un trozo de manta de cielo (muselina) o un colador forrado con una toalla de papel sobre una taza de medir o tazón grande para escurrir el queso ricotta y retirar así el exceso de humedad.

pappardelle con calabacitas y limón

1 Prepare la salsa

En una olla grande caliente agua hasta que suelte el hervor. En una sartén grande sobre fuego medio-alto caliente el aceite. Agregue el chalote y saltee cerca de 2 minutos, hasta que esté translúcido. Añada las calabacitas y ½ cucharadita de sal; cocine durante 4 ó 5 minutos, moviendo ocasionalmente, hasta que las calabacitas estén tiernas pero crujientes. Retire del fuego e integre el queso ricotta y la ralladura de limón.

2 Cocine la pasta

Mientras tanto, agregue 2 cucharadas de sal y la pasta al agua hirviendo. Cocine de acuerdo a las instrucciones del paquete hasta que esté al dente, moviendo ocasionalmente para evitar que se pegue. Escurra, reservando aproximadamente ½ taza (125 ml/4 fl oz) del agua de cocimiento. Integre la pasta con la salsa y mezcle hasta incorporar por completo. Añada el agua de cocimiento necesaria para diluir la salsa. Divida la pasta entre tazones y sirva acompañando con el queso rallado.

Aceite de oliva, 1 cucharada

Chalote, 1, finamente picado

Calabacitas, 2, partidas longitudinalmente a la mitad y en rebanadas delgadas

Sal y pimienta recién molida

Queso ricotta fresco, ¾ taza (185 g/6 oz)

Ralladura de un limón amarillo, finamente rallada

Pappardelle o fideo ancho de huevo, 500 g (1 lb)

Queso parmesano o pecorino, ½ taza (60 g/ 2 oz), recién rallado

4 PORCIONES

frittata de pimiento rojo y queso de cabra

Aceite de oliva,
3 cucharadas

Cebolla amarilla o blanca,
1, finamente rebanada

Pimiento (capsicum) rojo asado, 2/3 taza (125 g/4 oz), picado

Huevos, 8

Orégano fresco,
2 cucharadas, picado

Sal y pimienta recién molida

Queso de cabra fresco,
90 g (3 oz), desmoronado

4 PORCIONES

1 Cocine las verduras

En una sartén gruesa de 25 cm (10 in) de diámetro sobre fuego medio caliente el aceite. Agregue la cebolla y saltee durante 5 ó 6 minutos, hasta dorar. Añada el pimiento y cocine 1 ó 2 minutos, moviendo, hasta que esté caliente.

2 Prepare la frittata

Mientras se cocinan las verduras bata en un tazón los huevos, el orégano, 1/2 cucharadita de sal y 1/4 cucharadita de pimienta. Extienda las verduras uniformemente en la sartén e integre la mezcla de huevo. Reduzca el fuego a medio-bajo y cocine aproximadamente 3 minutos, sin mover, hasta que las orillas se empiecen a cuajar. Usando una espátula levante las orillas de la frittata cuidadosamente y deje que el huevo crudo pase hacia abajo. Continúe cocinando entre 5 y 8 minutos, sin mover, hasta que los huevos estén casi cuajados en la superficie.

3 Termine la frittata

Mientras la frittata se está cociendo precaliente el asador de su horno. Espolvoree la frittata con el queso de cabra y coloque debajo del asador. Ase aproximadamente 2 minutos, hasta que la superficie esté firme y el queso se haya derretido. Corte en rebanadas grandes y sirva directamente de la sartén.

sugerencia del chef

Al saltear los hongos frescos en una sartén seca sobre fuego medio-alto ayuda a retirar su humedad y concentrar su sabor. Después de que los hongos suelten su jugo, cocínelos aún más para que el líquido se evapore.

linguine con salsa de hongos a la crema

Aceite de oliva, 2 cucharadas

Champiñones, 185 g (6 oz), finamente rebanados

Hongos cremini, 185 g (6 oz), finamente rebanados

Ajo, 1 ó 2 dientes, finamente picados

Tomillo seco, ½ cucharadita

Vermouth seco, o vino blanco seco, ¼ taza (60 ml/ 2 fl oz)

Sal y pimienta negra recién molida

Linguine, 500 g (1 lb)

Crema ácida, ½ taza (125 g/4 oz)

Pimienta de cayena, una pizca

Perejil liso (italiano) fresco, 2 cucharadas, picado

4 PORCIONES

1 Prepare la salsa

En una olla caliente agua hasta que suelte el hervor. En una sartén sobre fuego medio-alto caliente el aceite. Agregue los champiñones y saltee cerca de 5 minutos, hasta que hayan soltado casi todo su líquido. Integre el ajo y el tomillo; cocine durante 4 ó 5 minutos más, moviendo, hasta que los champiñones se doren. Agregue el vermouth y cocine aproximadamente 2 minutos, moviendo, hasta que el alcohol se haya evaporado. Sazone al gusto con sal y pimienta; retire del fuego.

2 Cocine la pasta

Mientras tanto, agregue 2 cucharadas de sal y la pasta al agua hirviendo. Cocine de acuerdo a las instrucciones del paquete hasta que esté al dente, moviendo ocasionalmente para evitar que se pegue. Escurra, reservando aproximadamente ½ taza (125 ml/4 fl oz) del agua de cocimiento. Integre la pasta con la salsa junto con la crema ácida y la pimienta de cayena. Mezcle. Caliente ligeramente sobre fuego bajo para mezclar los sabores. Agregue el agua de cocimiento necesaria para diluir la salsa. Incorpore el perejil y sirva.

gratín cremoso de coliflor

Coliflor, 1 cabeza grande, cortada en flores de 2.5 cm (1 in)

Sal y pimienta recién molida

Leche, 2 tazas (500 ml/ 16 fl oz)

Mantequilla sin sal, 2 cucharadas

Harina, 2 cucharadas

Mostaza seca, 1 cucharadita

Queso cheddar blanco, ½ taza (60 g/2 oz), rallado

Queso gouda, ½ taza (60 g/2 oz), rallado

Pimienta de cayena, una pizca

Migas de pan seco, 3 cucharadas

4 PORCIONES

1 Cocine la coliflor

Hierva agua en una olla grande. Agregue la coliflor y una cucharada de sal al agua hirviendo. Cocine cerca de 7 minutos hasta que las flores estén suaves. Escurra perfectamente.

2 Prepare la salsa

En una olla pequeña sobre fuego medio caliente la leche hasta que se empiecen a formar pequeñas burbujas alrededor de la orilla. Retire del fuego. En una olla grande sobre fuego bajo derrita la mantequilla. Agregue la harina y la mostaza poco a poco, batiendo para incorporar por completo. Eleve el fuego a medio-bajo e integre gradualmente la leche caliente. Cocine cerca de 5 minutos, moviendo frecuentemente, hasta que la mezcla esté espesa y cremosa. Agregue los quesos, sal y pimienta al gusto y la pimienta de cayena. Cocine cerca de 2 minutos, moviendo frecuentemente, hasta que se derritan los quesos.

3 Termine el gratín

Precaliente el asador de su horno y engrase con mantequilla un refractario o platón para gratín poco profundo con capacidad de 2 l (2 qt). Acomode la coliflor en el refractario, bañe con la salsa y espolvoree con las migas de pan. Ase cerca de 2 minutos, hasta que se dore. Sirva de inmediato.

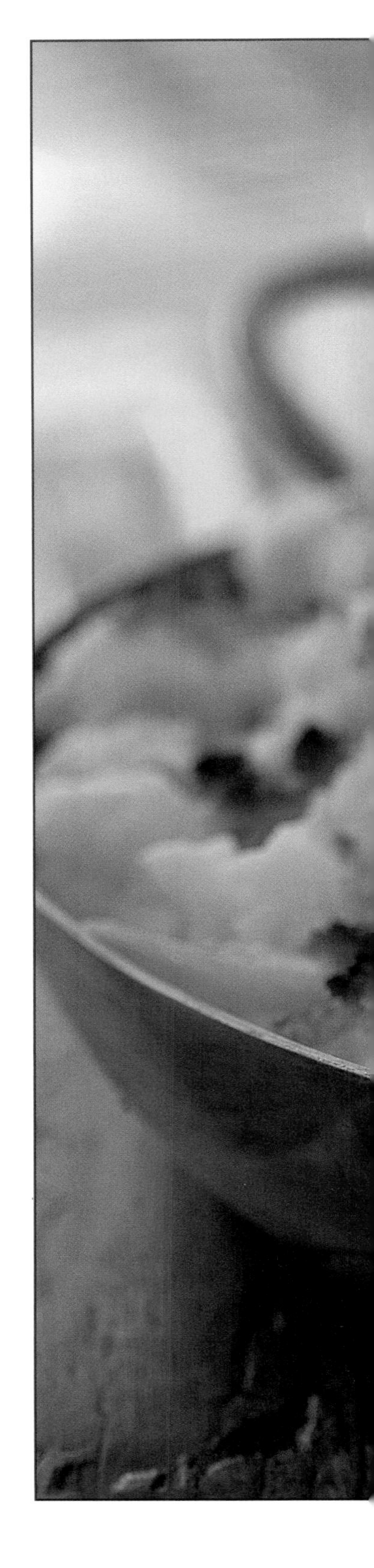

sugerencia del chef

Tueste los piñones en una sartén gruesa y seca sobre fuego medio-alto durante 5 minutos, agitando la

sartén frecuentemente. O, si lo desea, extiéndalos uniformemente sobre una charola para hornear y colóquela en el horno de 180°C (350°F) durante 10 ó 12 minutos. Los piñones estarán listos cuando aromaticen y estén dorados.

penne con vegetales y piñones

1 Cocine las verduras

En una olla grande caliente agua hasta que suelte el hervor. En una sartén para fritura profunda sobre fuego medio-alto caliente el aceite. Agregue la cebolla y saltee cerca de 4 minutos, hasta que esté translúcida. Añada el ajo y cocine aproximadamente 2 minutos, moviendo a menudo, hasta que aromatice. Trabajando en tandas si fuera necesario, agregue la acelga y la col rizada; mezcle aproximadamente 4 minutos, hasta que se marchiten. Añada ½ taza (125 ml/4 fl oz) de agua, tape, reduzca el fuego a medio y cocine durante 10 ó 15 minutos, moviendo ocasionalmente, hasta que las verduras estén suaves pero crujientes. Integre las pasitas y las nueces; retire del fuego.

2 Cocine la pasta

Mientras tanto, agregue 2 cucharadas de sal y la pasta al agua hirviendo. Cocine de acuerdo a las instrucciones del paquete, moviendo ocasionalmente para evitar que se pegue. Escurra, reservando aproximadamente ½ taza (125 ml/4 fl oz) del agua de cocimiento. Agregue el agua de cocimiento necesaria para diluir la salsa y mezcle. Divida entre tazones poco profundos y sirva.

Aceite de oliva, 2 cucharadas

Cebolla morada, 1 grande, picada

Ajo, 2 dientes, finamente picados

Acelga, 500 g (1 lb), sin venas, sus hojas picadas

Col rizada, ½ manojo, sin tallos, sus hojas picadas

Pasitas doradas (sultanas), ¼ taza (45 g/1 ½ oz)

Piñones, ¼ taza (45 g/ 1 ½ oz), tostados

Sal y pimienta recién molida

Penne, 500 g (1 lb)

4 PORCIONES

espárragos a la milanesa

Espárragos, 500 g (1 lb), sin las bases duras

Mantequilla sin sal, 2 cucharadas

Huevos, 4

Sal y pimienta recién molida

Chalote, 1 cucharada, finamente picado

Panko o migas de pan fresco, 2 cucharadas

4 PORCIONES

1 Cocine los espárragos

Coloque 2.5 cm (1 in) de agua en una sartén y hierva. Agregue los espárragos, tape y cocine durante 3 ó 4 minutos, hasta que estén de color verde brillante y suaves pero crujientes. Escurra y divídalos entre 4 platos. Limpie la sartén.

2 Cocine los huevos

En la misma sartén sobre fuego medio derrita la mantequilla. Rompa cuidadosamente cada huevo sobre la sartén. Sazone al gusto con sal y pimienta. Cocine aproximadamente 4 minutos, hasta que las claras y las yemas se cuajen. Usando una espátula ancha coloque un huevo sobre cada porción de espárragos. Agregue el chalote y el panko a la sartén y saltee aproximadamente 2 minutos, hasta que se doren las migas. Espolvoree sobre los huevos y sirva de inmediato.

sugerencia del chef

Cuando le sobre pan del día anterior, de preferencia un pan baguette o una barra de pan blanco rústico, córtelo en rebanadas, colóquelo sobre una charola para hornear y deje que las rebanadas se sequen en el horno a 150°C (300°F) durante 10 minutos. Muela el pan tostado en un procesador de alimentos para hacer las migas. Almacene las migas en un recipiente hermético dentro del congelador hasta por 4 meses.

sugerencia del chef

También llamado cuajo de frijol, el tofu se vende en cuadros de diferentes texturas yendo desde la suave hasta la extra firme. El tofu firme mantiene su forma cuando se fríe. El suave es mejor para cocinar ligeramente en recetas para sopas. Antes de usar el tofu, escúrralo, enjuáguelo ligeramente y escurra una vez más.

salteado de tofu con salsa de frijol negro

1 Prepare el tofu y la salsa

Cubra una charola para hornear con una capa doble de toallas de papel. Acomode el tofu en una sola capa sobre las toallas. Cubra con otra capa de toallas y seque el tofu. En un tazón pequeño mezcle la fécula de maíz con el caldo hasta que la fécula se disuelva. Integre la salsa de frijol y el azúcar; reserve.

2 Fría las verduras

Caliente un wok o una sartén grande para freír sobre fuego alto y agregue el aceite. Agregue el tofu cuidadosamente y cocine durante 3 minutos. Voltee y continúe cociendo durante 3 ó 4 minutos, hasta que se dore. Usando una cuchara ranurada, pase a toallas de papel y deje escurrir. Deseche el aceite dejando una cucharada del mismo en el wok y colóquelo sobre fuego alto. Agregue las hojuelas de chile, col china, calabacita, pimiento y chícharos chinos; fría cerca de 3 minutos, hasta que las verduras estén suaves pero crujientes. Vuelva a colocar el tofu en el wok. Integre la salsa y cocine cerca de un minuto, moviendo, hasta que la salsa se espese. Sirva en tazones poco profundos.

Tofu firme, 500 g (1 lb), cortado en cubos de 2 cm ¾ in)

Fécula de maíz, 1 cucharada

Caldo de verduras, ¼taza (60 ml/2 fl oz)

Salsa de frijol negro, 1 cucharada

Azúcar, 1 cucharadita

Aceite de cacahuate, ⅓ taza (80 ml/3 fl oz)

Hojuelas de chile rojo, ⅛ cucharadita

Col china, 1 cabeza pequeña, limpia y cortada en trozos de 2.5 cm (1 in)

Calabacita verde o amarilla, 1 pequeña, cortada en rebanadas de 2 cm (¾ in) de grueso

Pimiento (capsicum) rojo, 1, sin semillas y picado

Chícharos chinos, 125 g (¼ lb), limpios

4 PORCIONES

sopa miso con fideo udon

Fideo udon, 500 g (1 lb)

Caldo de verduras, 4 tazas (1 l/32 fl oz)

Jengibre fresco, 3 rebanadas delgadas

Sake, 2 cucharadas

Miso rojo, 2 cucharadas

Tofu suave, 125 g (¼ lb), cortado en cubos de 12 mm (½ in)

Champiñones, 2 grandes, finamente rebanados

Zanahoria, 1 pequeña, finamente rebanada

Cebollita de cambray, 1 grande, únicamente la parte verde oscura, finamente rebanada a lo largo

4 PORCIONES

1 Cocine el fideo

Llene hasta la mitad una olla grande con agua y hierva. Agregue el fideo y vuelva a hervir el agua. Cocine durante 2 ó 3 minutos, hasta que el fideo esté al dente. Escurra el fideo, enjuague perfectamente bajo el chorro de agua fría y vuelva a escurrir. Divida entre 4 tazones para sopa.

2 Haga la sopa

En una olla mediana sobre fuego medio-alto caliente el caldo con el jengibre y el sake hasta que se empiecen a formar burbujas alrededor de la orilla de la olla. Reduzca el fuego a medio-bajo y hierva a fuego lento durante 5 minutos para infundir los sabores. Retire el jengibre. Coloque el miso en un tazón pequeño y agregue ¼ taza (60 ml/2 fl oz) del caldo caliente. Mezcle hasta que se disuelva el miso y esté cremoso; vierta la mezcla una vez más a la olla. Coloque el tofu en un colador y caliéntelo bajo un chorro lento de agua caliente. Divida el tofu entre los tazones de sopa. Sirva el caldo caliente, dividiéndolo entre los tazones. Adorne con las rebanadas de champiñones, zanahoria y cebollitas de cambray y sirva.

sugerencia del chef

El miso, una sabrosa pasta fermentada sumamente nutritiva hecha de frijol de soya, viene en muchos

colores, espesores y variedades. Si no puede encontrar miso rojo, puede sustituirlo por miso blanco también conocido como *shiromiso*, el cual se puede encontrar en las tiendas de alimentos japoneses y en los supermercados bien surtidos.

sugerencia del chef

Cuando los sobrantes de este curry se congelan se espesan considerablemente. Para recalentarlo quizás tenga que agregar un poco de agua o caldo de verduras y calentarlo tapado sobre fuego medio, únicamente hasta que esté caliente.

curry de garbanzo y camote

1 Prepare la base de curry

En una olla gruesa sobre fuego medio-bajo caliente el aceite. Agregue la cebolla, ajo, jengibre y chile. Cocine aproximadamente 4 minutos, moviendo ocasionalmente, hasta que la cebolla esté translúcida. Integre el polvo de curry y cocine cerca de 30 segundos, moviendo constantemente, hasta que aromatice. Sazone al gusto con sal y pimienta.

2 Cocine las verduras

Agregue el camote, garbanzo, leche de coco y una taza (250 ml/8 fl oz) de agua a la sartén. Eleve el fuego a medio-alto y, cuando suelte el hervor, reduzca el fuego y hierva a fuego lento sin tapar durante 10 minutos, hasta que el camote esté suave. Agregue el chícharo y el jitomate; cocine hasta calentar por completo. Sirva en tazones sobre arroz al vapor, si lo desea.

Aceite de canola, 2 cucharadas

Cebolla amarilla o blanca, 1 pequeña, picada

Ajo, 2 dientes, finamente picados

Jengibre fresco, 1 cucharada, picado

Chile tai o jalapeño, 1, sin semillas y finamente picado

Polvo de curry, 1 cucharada

Sal y pimienta recién molida

Camote, 1 grande, sin piel y cortado en cubos de 12 mm (½ in)

Garbanzo, 1 lata (470 g/15 oz), escurrido y enjuagado

Leche de coco, 1 lata (aproximadamente 400 ml/14 fl oz), bien agitada

Chícharos congelados, ½ taza (75 g/2 ½ oz)

Jitomate en cubos de lata, ½ taza (80 ml/3 fl oz), escurridos

Arroz basmati al vapor, para acompañar (opcional)

4 PORCIONES

polenta con ragú de verduras

Aceite de oliva, 4 cucharadas (60 ml/2 fl oz)

Ajo, 2 dientes, picados

Berenjena (aubergine) asiática (delgada), 1 pequeña, partida longitudinalmente a la mitad y rebanada

Pimiento (capsicum) rojo, 1, sin semillas y rebanado transversalmente en tiras

Calabacita, 1 pequeña, partida longitudinalmente a la mitad y rebanada finamente

Tomillo fresco, 1 cucharada, picado

Jitomate guaje (Roma) entero de lata, 2½ tazas (625 ml/20 fl oz), con jugo

Caldo de verduras, 4 tazas (1 l/32 fl oz)

Sal y pimienta recién molida

Polenta de cocimiento rápido, 1 taza (220 g/7 oz)

4 PORCIONES

1 Prepare el ragú

En una sartén grande sobre fuego medio caliente 3 cucharadas del aceite. Agregue el ajo, berenjena, pimiento, calabacita y tomillo. Cocine cerca de 5 minutos, moviendo ocasionalmente, hasta que las verduras empiecen a suavizarse. Agregue el jitomate y ¼ taza (60 ml/2 fl oz) de agua. Cocine durante 8 ó 10 minutos, hasta que las verduras estén suaves pero aún mantengan su forma, moviendo ocasionalmente para desbaratar el jitomate.

2 Cocine la polenta

En una olla profunda hierva el caldo. Agregue una cucharada de sal. Integre gradualmente la polenta. Reduzca el fuego a medio-bajo y cocine durante 5 u 8 minutos, moviendo frecuentemente, hasta que la polenta esté espesa y suave. Retire la sartén del fuego y sazone al gusto con sal y pimienta. Divida la polenta entre tazones, cubra con el ragú y sirva.

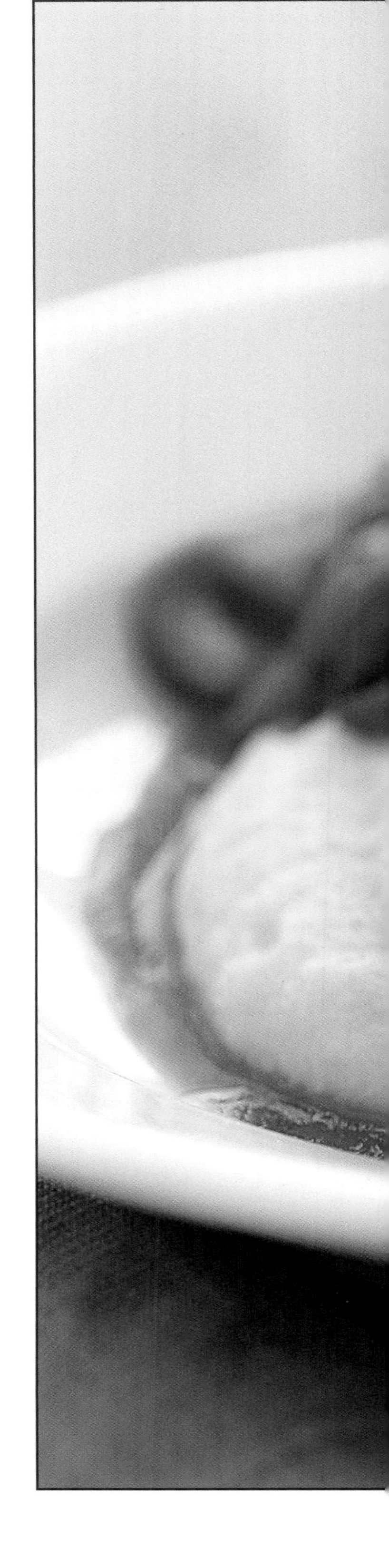

sugerencia del chef

Es mejor no usar caldo de verduras comprado que tenga zanahoria como su ingrediente principal ya que éste proporciona un tono anaranjado a los platillos terminados. Si no tiene caldo de verduras use agua y agregue ⅓ taza (45g/1 ½ oz) de queso parmesano recién rallado.

sugerencia del chef

Para hacer una ensalada más sustanciosa mezcle una taza (125 g/5 oz) de queso feta desmoronado con el trigo y acompañe con tostadas calientes de pan árabe.

ensalada griega de trigo

Trigo grueso (bulgur), 1 taza (185 g/6 oz)

Jugo de limón fresco, 2 cucharadas

Aceite de oliva, 1 cucharada

Ajo, 1 diente pequeño, finamente picado

Sal y pimienta recién molida

Menta fresca, 3/4 taza (30 g/1 oz), picada

Jitomate cereza, 2 tazas (375 g/12 oz), partidos a la mitad

Pepino, 1 pequeño, sin piel, sin semillas y cortado en cubos de 12 mm (1/2 in)

Lechuga francesa (cos), 4 hojas grandes

4 PORCIONES

1 Prepare el trigo grueso

Hierva 3 tazas (750 ml/24 fl oz) de agua. Coloque el trigo en un tazón, integre el agua hirviendo y deje reposar durante 20 minutos, hasta que el trigo esté suave. Escurra el trigo en un colador de malla fina y vuelva a colocar en el tazón. Agregue el jugo de limón, aceite, ajo, 1/2 cucharadita de sal y 1/8 cucharadita de pimienta; mezcle hasta integrar por completo. Incorpore la menta, jitomate y pepino.

2 Arme la ensalada

Cubra un platón de servicio con las hojas de lechuga o divida entre 4 platos para ensalada. Coloque la ensalada de trigo sobre la lechuga y sirva.

risotto de hongos silvestres con chícharos

Hongos porcini secos, 7 g (1/4 oz), aproximadamente 2 cucharadas, enjuagados

Caldo de verduras, 5 1/2 tazas (1.35 l/44 fl oz)

Vino blanco seco, 1 taza (250 ml/8 fl oz)

Mantequilla sin sal, 1 cucharada

Aceite de oliva, 1 cucharada

Cebolla amarilla o blanca, 1 pequeña, finamente picada

Arroz arborio, 2 tazas (440 g/14 oz)

Chícharos congelados, 1 taza (155 g/5 oz)

Queso parmesano, 1/2 taza (60 g/2 oz), recién rallado, más algunas láminas para adornar

Sal y pimienta recién molida

4 PORCIONES

1 **Prepare los hongos**
Coloque los hongos en un tazón pequeño. Agregue 1/3 taza (80 ml/3 fl oz) de agua caliente y deje reposar aproximadamente 20 minutos, hasta que los hongos estén suaves. Escurra los hongos y pique finamente.

2 **Cocine el arroz**
Mientras tanto, en una olla sobre fuego medio hierva el caldo y el vino hasta que suelten el hervor y mantenga una ebullición lenta sobre fuego bajo. Al mismo tiempo, derrita la mantequilla con el aceite en una olla gruesa u horno holandés. Agregue la cebolla y saltee cerca de 4 minutos, hasta que se suavice. Añada el arroz y cocine cerca de un minuto, moviendo constantemente, hasta que los granos estén opacos y bien cubiertos. Integre 2 tazas (500 ml/16 fl oz) de la mezcla de caldo hirviendo y cocine durante 3 ó 4 minutos, moviendo frecuentemente, hasta que se absorba el líquido. Reduzca el fuego a medio-bajo y continúe agregando el caldo, una taza (250 ml/8 fl oz) a la vez, moviendo ocasionalmente y agregando más únicamente después de que ésta se haya absorbido.

3 **Termine el risotto**
Después de 20 minutos, cuando el arroz esté suave y cremoso pero aún al dente, integre los hongos y los chícharos; cocine durante 2 minutos. Integre la 1/2 taza de queso parmesano. Sazone al gusto con sal y pimienta y sirva en tazones poco profundos adornando con las láminas de queso.

sugerencia del chef

Ajuste el picor de este platillo al gusto reduciendo o aumentando la cantidad de pasta de chile o incluso eliminándola. Si no tiene pasta de chile como la Sriracha, puede sustituirla por hojuelas de chile rojo o pimienta de cayena.

tofu braseado al cacahuate con fideo

1 Prepare el tofu

Cubra una charola para hornear con una capa doble de toallas de papel. Acomode el tofu en una sola capa sobre las toallas. Cubra con otra capa de toallas y seque el tofu.

2 Cocine las verduras y el fideo

En una olla grande ponga a hervir agua. Agregue el chícharo chino, cocine durante 30 segundos, retire con una cuchara ranurada y reserve. Añada el fideo al agua hirviendo y cocine de acuerdo a las instrucciones del paquete. Escurra el fideo, enjuague perfectamente debajo del chorro de agua fría y escurra una vez más. Reserve.

3 Ase el tofu

En una olla sobre fuego medio mezcle la leche de coco con la crema de cacahuate hasta integrar por completo. Incorpore la pasta de chile, azúcar, caldo, salsa de soya y jugo de limón. Añada el tofu. Cocine durante 2 minutos, moviendo ocasionalmente, hasta que la salsa y el tofu estén bien calientes. Incorpore el chícharo chino y el fideo. Divida entre tazones y sirva.

Tofu firme, 500 g (1 lb), cortado en cubos de 2 cm (3/4 in)

Chícharo chino (mangetouts), 1 taza, limpio y cortado a la mitad

Fideo chino delgado y fresco, 250 g (1/2 lb)

Leche de coco, 1/2 taza (125 l/4 fl oz)

Crema de cacahuate, 1/2 taza (155 g/5 oz)

Pasta de chile, 1 cucharada

Azúcar, 1 cucharadita

Caldo de verduras, 1/4 taza (60 ml/2 fl oz)

Salsa de soya, 2 cucharadas

Jugo de limón fresco, 2 cucharadas

4 PORCIONES

tortitas de maíz picante con frijoles negros

Frijol negro, 1 lata (470 g/15 oz)

Orégano fresco, 1 cucharadita, picado

Chile en polvo, 2 cucharaditas

Cornmeal amarillo molido en molino de piedra o polenta, 2/3 taza (90 g/3 oz)

Harina, 2 cucharadas

Bicarbonato de sodio, 1/4 cucharadita

Sal y pimienta recién molida

Mantequilla sin sal, 3 cucharadas, derretida

Butterilk o yogurt, 1 taza (250 ml/8 fl oz)

Huevo, 1

Granos de elote congelados, 1/2 taza (90 g/3 oz), descongelado

Aceite de canola, 2 cucharaditas

4 PORCIONES

1 Prepare los frijoles

En una olla sobre fuego medio mezcle los frijoles con el orégano y una cucharadita de chile en polvo. Cocine, moviendo ocasionalmente, hasta que los frijoles estén calientes. Retire del fuego, tape y reserve.

2 Prepare la masa

En un tazón bata el cornmeal con la harina, bicarbonato de sodio, la cucharadita restante de chile en polvo, 1/2 cucharadita de sal y 1/8 cucharadita de pimienta. En otro tazón bata la mantequilla con el buttermilk y el huevo hasta integrar por completo. Mezcle los ingredientes líquidos rápidamente con los ingredientes secos hasta integrar, dejando pequeños grumos. Incorpore los granos de elote.

3 Haga las tortitas

Caliente una sartén grande de hierro forjado sobre fuego medio-alto. Barnice con una cucharadita del aceite. Trabajando en tandas, agregue 1/4 taza (60 ml/2 fl oz) de la masa a la vez. Cocine las tortitas aproximadamente 4 minutos, hasta que se doren y esponjen, volteando una sola vez. Pase a un plato y tape holgadamente con papel aluminio. Mezcle la masa y barnice la sartén con aceite después de cada tanda. Divida las tortitas entre los platos. Cúbralas con los frijoles y sirva.

sugerencia del chef

Si desea aún más sabor, cubra las tortitas con crema ácida, salsa comprada o hecha en casa y cilantro fresco picado. Para hacer una salsa casera mezcle un jitomate, sin semillas y picado; ½ cebolla, picada; 2 cucharadas de cilantro fresco picado y jugo de limón fresco al gusto.

sugerencia del chef

Si desea una colación más sustanciosa, acompáñela con huevo cocido. Hierva huevos en una olla

pequeña, tape y cocine durante 10 minutos. Retire del fuego, pase por debajo del chorro de agua fría y deje reposar para que se enfríen. Los huevos se pueden cocer hasta con 2 días de anticipación y mantener en refrigeración para usarse posteriormente.

ensalada de papa estilo mediterráneo

1 Cocine los ejotes y las papas

En una olla grande ponga a hervir agua. Agregue una cucharada de sal y los ejotes. Cocine cerca de 3 minutos, hasta que estén de color verde brillante y se sientan suaves pero crujientes. Usando una cuchara ranurada, pase a un tazón con agua con hielo. Escurra los ejotes y colóquelos en un tazón grande. Añada las papas al agua hirviendo y cocine cerca de 10 minutos, hasta que estén casi suaves; escurra. Integre las papas con los ejotes.

2 Arme la ensalada

Incorpore el garbanzo, cebolla, perejil, menta, aceitunas y alcaparras con los ejotes y las papas. En un tazón pequeño bata la mostaza con el vinagre, una cucharadita de sal y 1/8 cucharadita de pimienta. Integre el aceite. Vierta el aderezo sobre la ensalada y mezcle hasta cubrir perfectamente; sirva.

Sal y pimienta negra recién molida

Ejotes verdes delgados, 125 g (1/4 lb), limpios

Papas de piel roja, 625 g (1 1/4 lb), partidas en cuarterones

Garbanzo o frijol rojo de lata, 1 taza (220 g/7 oz), escurrido y enjuagado

Cebolla morada, 1 pequeña, finamente picada

Perejil liso (italiano) fresco, 1/2 taza (20 g/3/4 oz), picado grueso

Menta fresca, 1/2 taza (20 g/3/4 oz), picada grueso

Aceitunas sicilianas u otras aceitunas verdes, 4, sin hueso y picadas grueso

Alcaparras, 1 cucharada, enjuagadas y picadas

Mostaza de grano entero, 1 cucharada

Vinagre de vino tinto, 1 cucharada

Aceite de o**liva,** 1 cucharada

4 PORCIONES

hash de papa y camote con huevos poché

Papa de piel roja, 1 grande (250 g/½ lb), sin piel y cortada en cubos de 2 cm (¾ in)

Camote, 1 (250 g/½ lb), sin piel y cortado en cubos de 2 cm (¾ in)

Aceite de canola, 2 cucharadas

Pimiento (capsicum) rojo, 1 pequeño, sin semillas y picado

Cebolla morada, 1 pequeña, finamente picada

Cebollita de cambray, 1, las partes blanca y verde oscura, picada

Sal y pimienta recién molida

Vinagre blanco destilado, 1 cucharada

Huevos, 4

4 PORCIONES

1 Cocine la papa y el camote

Coloque la papa y el camote en una olla mediana y cubra con agua fría. Caliente el agua y, cuando suelte el hervor, reduzca el fuego a medio-bajo. Cocine aproximadamente 10 minutos, hasta que estén casi suaves. Escurra perfectamente y reserve.

2 Arme el picadillo

Mientras tanto, en una sartén grande sobre fuego medio-alto caliente el aceite. Agregue el pimiento y la cebolla morada; saltee cerca de 2 minutos, hasta que la cebolla esté translúcida. Añada la papa y el camote, extendiéndolos en una sola capa. Reduzca el fuego a medio y cocine cerca de 6 minutos, moviendo ocasionalmente, hasta que las papas empiecen a dorarse y los pimientos estén suaves. Integre la cebollita de cambray. Sazone al gusto con sal y pimienta; cocine cerca de un minuto, moviendo hasta que la papa empiece a desbaratarse y la cebollita esté suave. Divida el picadillo entre los platos de servicio.

3 Cocine los huevos

Mientras tanto, en una sartén profunda para saltear caliente 8 tazas de agua (2 l/64 fl oz) sobre fuego medio, hasta que suelte el hervor. Integre el vinagre y una cucharadita de sal. Rompa los huevos uno por uno sobre un tazón pequeño y resbálelos hacia el agua. Después de un minuto, ponga una espátula debajo de los huevos para evitar que se peguen al fondo. Cocine los huevos durante 3 ó 4 minutos. Usando una cuchara ranurada, saque los huevos cuidadosamente del agua y colóquelos sobre cada porción de picadillo y sirva.

sugerencia del chef

Para obtener los mejores resultados, use huevos fríos recién sacados del refrigerador ya que sus claras estarán más espesas que las de aquellos que están a temperatura ambiente. Usando una cuchara, mueva el agua ligeramente mientras se cuaja la clara.

sugerencia del chef

Las hamburguesas de portobello se pueden hacer con diferentes variedades de cubiertas. En vez de usar queso Monterrey Jack y jitomates, use pimientos (capsicums) rojos asados y queso de cabra fresco. Simplemente unte el queso de cabra sobre una tapa de cada bollo tostado.

hamburguesas de portobello asado

1 Cocine los hongos

Prepare un asador de gas o carbón para asar directamente sobre fuego medio-alto o precaliente una sartén para asar sobre su estufa. En un tazón pequeño mezcle el aceite con el vinagre, el ajo, ½ cucharadita de sal y ⅛ cucharadita de pimienta. Usando una cuchara pequeña retire las laminillas de la parte inferior de los hongos. Barnice ambos lados de los hongos con la mezcla de aceite. Ponga los hongos sobre el asador colocando el lado del tallo hacia arriba y cocine aproximadamente 4 minutos, hasta que se le vean las marcas del asador. Voltee y cocine cerca de 4 minutos más, hasta que estén suaves. Coloque una rebanada de queso sobre cada hongo 2 minutos antes de retirarlos del asador y cocine hasta que se derrita.

2 Tueste los bollos

Mientras tanto, corte los bollos horizontalmente a la mitad. Coloque cada mitad, con la parte cortada hacia abajo, sobre la parte más fría del asador durante 2 ó 3 minutos, hasta que estén ligeramente tostados. O, si lo desea, use un horno tostador.

3 Arme las hamburguesas

En un tazón pequeño mezcle el pesto con la mayonesa y sazone al gusto con sal y pimienta. Unte la mezcla de pesto y mayonesa sobre los bollos tostados. Coloque un hongo asado sobre la tapa inferior de cada bollo y cubra con las rebanadas de jitomate. Tape con la parte superior del bollo y sirva.

Aceite de oliva, 2 cucharadas

Vinagre balsámico, 1 cucharada

Ajo, 1 diente, finamente picado

Sal y pimienta recién molida

Hongos portobello, 4 grandes, sin tallo

Queso monterrey jack o queso mozzarella ahumado, cortado en 4 rebanadas

Bollos italianos redondos, 4

Pesto, 2 cucharadas (30 ml/1 fl oz), comprado

Mayonesa, ½ taza, (125 ml/4 fl oz)

Jitomate, 1 ó 2 rebanados

4 PORCIONES

guisado de frijol a la española

Aceite de oliva, 3 cucharadas

Cebolla amarilla o blanca, 1 grande, picada

Caldo de verduras, 2 tazas (500 ml/16 fl oz)

Zanahoria, 1 pequeña, picada

Poro, 1, únicamente la parte blanca, partido a la mitad, enjuagado y picado grueso

Páprika española o húngara, 2 cucharaditas

Ajo, 2 dientes grandes, picados

Ejotes verdes, 300 g (½ lb), limpios y cortados en trozos de 2.5 cm (1 in)

Frijol rojo o pinto, 2 latas (470 g/15 oz), enjuagados y escurridos

Sal y pimienta recién molida

4 PORCIONES

1 Prepare las cebollas

En una olla gruesa u horno holandés sobre fuego medio-alto caliente 2 cucharadas del aceite. Agregue la cebolla y saltee aproximadamente 8 minutos hasta que esté suave y translúcida. Retire del fuego y pase la mitad de la cebolla a una licuadora. Agregue el caldo, procese hasta que esté tersa y reserve.

2 Termine el guisado

Vuelva a colocar la sartén sobre fuego medio-alto y caliente la cucharada restante de aceite. Agregue la zanahoria y el poro a la cebolla restante; saltee cerca de 5 minutos, hasta que el poro esté suave. Reduzca el fuego a medio, integre la páprika y el ajo; cocine moviendo durante un minuto. Añada los ejotes verdes, frijoles y puré de cebolla; cocine durante 8 ó 10 minutos, moviendo ocasionalmente, hasta que los ejotes estén suaves pero crujientes. Sazone al gusto con sal y pimienta, divida entre tazones de sopa y sirva.

sugerencia del chef

Los crostini son un buen acompañamiento para este guisado y se preparan sólo en unos cuantos minutos. Para hacerlos, precaliente el horno a 200°C (400°F). Corte una baguette en rebanadas de 12 mm (½ in) de grueso, barnícelas con aceite de oliva y colóquelas sobre una charola para hornear. Hornee aproximadamente 5 minutos, hasta que se doren. Retire la piel de un diente de ajo y frótelo sobre cada rebanada de pan caliente. Sirva acompañando el guisado o sobre de él.

15 minutos de preparación

calabaza de invierno con cuscús sazonado

Calabaza acorn de invierno, 2, cada una de 750 g (1 1/4 lb), partidas a la mitad, sin semillas

Aceite de oliva, 2 cucharaditas

Sal y pimienta recién molida

Caldo de verduras, 1 taza (250 ml/8 fl oz)

Cuscús instantáneo, 3/4 taza (140 g/4 1/2 oz)

Canela molida, 1/2 cucharadita

Jengibre molido, 1/4 cucharadita

Almendras rebanadas, 3 cucharadas, tostadas

Grosella seca, 2 cucharadas

Cebollitas de cambray, 2, sus partes blancas y verdes, finamente picadas

Manzana Golden Delicious, 1/2, descorazonada y picada

4 PORCIONES

1 Ase la calabaza

Precaliente el horno a 200°C (400°F). Barnice las mitades de calabaza con el aceite y sazone al gusto con sal y pimienta. Coloque las mitades con la parte cortada hacia abajo sobre una charola para hornear. Ase aproximadamente 20 minutos, hasta que se puedan picar fácilmente con un cuchillo delgado.

2 Prepare el cuscús sazonado

Mientras tanto, hierva el caldo en una olla. Integre el cuscús, canela, jengibre, 1/2 cucharadita de sal y pimienta al gusto. Tape y reserve, de acuerdo a las instrucciones del paquete. Incorpore las almendras, grosella, cebollas y manzana al cuscús. Usando una cuchara coloque el relleno en la calabaza asada poniendo una cantidad generosa y sirva.

sugerencia del chef

También se pueden usar otras calabazas pequeñas de invierno para hacer este platillo ya que su piel naranja es dulce y se complementa bien con el cuscús. Simplemente parta la calabaza en cubos, ase los trozos e intégrelos con el cuscús cocido. El tiempo de asado disminuirá aproximadamente 10 minutos.

tarta primavera de verduras

1 Prepare la pasta

Precaliente el horno a 200°C (400°F). Cubra una charola para hornear con papel encerado (para hornear). Extienda la pasta de hojaldre sobre la charola para hornear. Doble las orillas para hacer un borde de 2.5 cm (1 in) de grueso, sobreponiendo la pasta en las orillas y presionándola ligeramente. Pique la pasta con un tenedor.

2 Rellene y hornee la tarta

Espolvoree la mitad del queso sobre la superficie de la pasta dentro del borde. Cubra con los espárragos, colocándolos en hilera desde una orilla de la pasta hasta la otra. Coloque el poro sobre los espárragos. Hornee durante 15 minutos. Mientras tanto, bata en un tazón los huevos, la leche, ½ cucharadita de sal y pimienta al gusto hasta integrar por completo. Vierta la mezcla de huevos sobre los espárragos y poros; espolvoree con el queso restante. Hornee aproximadamente 10 minutos más, hasta que la pasta se esponje y dore. Deje reposar la tarta durante 10 minutos. Corte en trozos y sirva.

Pasta de hojaldre congelada, ½ kg, descongelada

Queso fontina, 1 taza (125 g/4 oz), desmenuzado

Espárragos, 15 ó 20 delgados, sin su extremo inferior

Poro, 1 pequeño, únicamente su parte blanca, partido a la mitad, enjuagado y finamente rebanado

Huevos, 2

Leche, ¼ taza (60 ml/2 fl oz)

Sal y pimienta recién molida

4 PORCIONES

tartaletas de papa y queso gruyere

Aceite de oliva, 2 cucharadas

Romero fresco, 1 cucharada, finamente picado

Sal y pimienta recién molida

Papa russet u otra papa adecuada para hornear, 1, sin piel, partida longitudinalmente a la mitad y en rebanadas delgadas

Cebolla amarilla o blanca, 1 pequeña, partida a la mitad y finamente rebanada

Pasta de hojaldre congelada, ½ kg, descongelada y cortada en cuadros de 1 cm (5 in)

Queso gruyere, 1 taza (125 g/4 oz), rallado

4 PORCIONES

1 **Prepare el relleno**
Precaliente el horno a 200°C (400°F). En un tazón mezcle el aceite con el romero, ½ cucharadita de sal y ⅛ cucharadita de pimienta. Agregue la papa y la cebolla; mezcle hasta cubrir.

2 **Prepare la pasta**
Coloque los cuadros de pasta sobre una charola para hornear. Con un cuchillo mondador filoso marque una orilla de 12 mm (½ in) a lo largo de la orilla de cada cuadro de pasta, teniendo cuidado de sólo cortar hasta la mitad. Dentro del borde, pique la pasta por todos lados con un tenedor.

3 **Rellene y hornee las tartaletas**
Espolvoree 2 cucharadas del queso dentro del borde de cada tartaleta. Divida el relleno entre las tartaletas. Espolvoree el queso restante sobre el relleno, dividiéndolo uniformemente. Hornee alrededor de 20 minutos, hasta que los bordes se esponjen y doren y que el queso se dore. Deje reposar las tartaletas durante 10 minutos. Sirva calientes o a temperatura ambiente.

sugerencia del chef

Para hacer una guarnición rápida, acompañe las tartaletas con ejotes delgados al vapor. En una olla hierva agua ligeramente salada, agregue los ejotes y cocine alrededor de 4 minutos, hasta que estén suaves pero crujientes. Pase debajo del chorro de agua fría para enfriar.

sugerencia del chef

Para retirar la piel de una naranja y separarla en gajos, corte una rebanada delgada de la parte

superior e inferior. Coloque la naranja sobre uno de sus extremos en una tabla de picar. Rebane la piel en tiras verticales, cortando también la piel blanca. Deteniendo la naranja sobre un tazón para recolectar su jugo, resbale el cuchillo junto a la membrana a ambos lados de cada gajo y déjelo caer en el tazón.

ensalada de arroz salvaje

1 Cocine el arroz

En una olla grande coloque el arroz, 3 tazas (750 ml/24 fl oz) de agua y ½ cucharadita de sal. Hierva sobre fuego medio-alto. Cuando suelte el hervor reduzca el fuego a medio-bajo y hierva a fuego lento aproximadamente 40 minutos, hasta que el arroz esté suave. Escurra y coloque en un tazón.

2 Arme la ensalada

Agregue al arroz el apio, arándanos, nueces, naranjas y jugo. Añada el aceite y mezcle con un tenedor para integrar por completo. Sazone al gusto con sal y pimienta. Usando una cuchara coloque la ensalada en un tazón de servicio. Adorne con las semillas de granada roja, si las usa, y sirva.

Arroz salvaje, ¾ taza (140 g/4 ½ oz)

Sal y pimienta recién molida

Apio, 1 tallo grande, picado

Arándanos secos, ⅓ taza (60 g/2 oz)

Nueces, ⅓ taza (75 g/ 2 ½ oz), picadas

Naranja, 1 ó 2, de preferencia Navel, sin piel, separada en gajos y picada

Jugo de naranja fresco, ¼ taza (60 m l/2 fl oz)

Aceite de nuez o canola, 1 cucharada

Semillas de granada roja, ¼ taza (30 g/1 oz) (opcional)

4 PORCIONES

berenjena glaseada con miso

Aceite de cacahuate, 2 cucharadas

Berenjena (aubergine) asiática (delgada), 4, partidas longitudinalmente y transversalmente a la mitad

Miso blanco, 3 cucharadas

Mirin o sake, 2 cucharadas

Azúcar, 1 cucharadita

Caldo de verduras, 2 cucharadas

Aceite de ajonjolí asiático, 1 cucharadita

Semillas de girasol, 2 cucharadas

Arroz cocido al vapor, para acompañar

4 PORCIONES

1 Prepare la berenjena

Precaliente el horno a 190°C (375°F). Engrase con aceite un refractario lo suficientemente grande para dar cabida a la berenjena en una sola capa. En una sartén grande sobre fuego medio-alto caliente el aceite de cacahuate. Agregue las mitades de berenjena, con la parte cortada hacia abajo, y cocine aproximadamente 5 minutos, hasta que se doren. Acomode la berenjena, con la parte cortada hacia arriba, dentro del refractario.

2 Glasee y hornee la berenjena

En un tazón pequeño mezcle el miso con el mirin hasta que esté cremoso. Integre el azúcar, caldo y aceite de ajonjolí. Usando una cuchara coloque el glaseado sobre la berenjena. Hornee entre 25 y 30 minutos, hasta que las berenjenas estén suaves pero aún mantengan su forma y el glaseado burbujee y esté dorado.

3 Tueste las semillas de ajonjolí

Mientras tanto, en una sartén pequeña y seca sobre fuego medio-alto tueste las semillas de ajonjolí durante 5 minutos, agitando la sartén frecuentemente, hasta que empiecen a saltar. Espolvoree sobre las berenjenas glaseadas y acompañe con el arroz.

sugerencia del chef

Para sazonar su arroz cocido al vapor integre ¼ taza de cebollitas de cambray y una cucharada de semillas de ajonjolí tostadas.

sugerencia del chef

Para proteger su tabla de picar del jugo rojo que sueltan los betabeles, cúbrala con papel encerado o plástico adherente. Para evitar que se pinte su piel cuando pele betabeles, use bolsas de plástico para sándwich sobre sus manos como protección.

ensalada de betabel, hinojo y arúgula

1 Ase los betabeles

Precaliente el horno a 200°C (400°F) y barnice los betabeles con las 2 cucharaditas de aceite. Envuelva los betabeles individualmente con papel aluminio y hornee aproximadamente una hora, hasta que se puedan picar fácilmente con un cuchillo. Deje enfriar dentro del papel aluminio hasta que pueda tocarlos. Retire la piel y rebane los betabeles.

2 Prepare el aderezo

Mientras tanto, bata el vinagre con ½ cucharadita de sal y pimienta al gusto. Integre el aceite restante, batiendo.

3 Arme la ensalada

Mezcle la arúgula con el aderezo hasta cubrir ligeramente. Divida entre platos de ensalada sacudiendo el exceso de aderezo. Usando un pelador de verduras haga láminas de queso y coloque generosamente sobre las hortalizas. Cubra el hinojo con el aderezo y acomódelo sobre las hortalizas. Cubra el betabel y el chalote con el aderezo y coloque en el centro de cada porción.

Betabeles, 4, dejando un tallo de 2.5 cm (1 in)

Aceite de oliva, 2 cucharaditas más 2 cucharadas

Vinagre de jerez, 2 cucharadas

Sal y pimienta recién molida

Arúgula (rocket) miniatura, 4 tazas (125 g/4 oz)

Queso manchego, 60 g (2 oz)

Bulbo de hinojo, 1, descorazonado, limpio y cortado en 8 rebanadas

Chalote, 1, finamente rebanado

4 PORCIONES

verduras asadas con mantequilla de salvia

Betabeles rojos o dorados, 2, sin piel y cortados en rebanadas

Nabo, 1, sin piel, si lo desea, y cortado en rebanadas

Calabaza delicata o butternut, 1, aproximadamente 185 g (6 oz), sin piel, sin semillas y cortada en trozos de 2.5 cm (1 in)

Hinojo, 1 bulbo pequeño, limpio y cortado en rebanadas

Pastinaca, 1, sin piel y cortada en trozos

Zanahoria miniatura, 8

Ajo, 4 dientes, partidos longitudinalmente a la mitad

Mantequilla sin sal, 4 cucharadas (60 g/2 oz), derretida

Salvia fresca, 3 cucharadas, picada

Sal y pimienta recién molida

Vinagre balsámico blanco, 1 cucharada

4 PORCIONES

1 Ase las verduras

Precaliente el horno a 200°C (400°F). Coloque los betabeles, nabo, calabaza, hinojo, pastinaca, zanahorias y ajo sobre una charola para hornear. Vierta la mantequilla sobre las verduras. Espolvoree con la salvia, una cucharadita de sal y 1/4 cucharadita de pimienta. Mezcle hasta cubrir las verduras y extiéndalas en una capa uniforme. Ase alrededor de 30 minutos, mezclando ocasionalmente. Continúe asando durante 20 ó 30 minutos más, sin mover, hasta que las verduras estén suaves. Usando una espátula grande, pase las verduras a un tazón de servicio. Reserve los jugos de la charola.

2 Termine las verduras

Vierta el jugo restante en la charola hacia un tazón pequeño e intégrelo con el vinagre, batiendo. Rocíe sobre las verduras, mezcle y sirva.

sugerencia del chef

El farro es una variedad italiana de grano también conocido como espelta. Búsquelo en tiendas especializadas en alimentos o en tiendas de especialidades italianas. Puede usar cebada para sustituir el farro cocinándola de acuerdo a las instrucciones del paquete.

ensalada de farro y jitomate con queso mozzarella

Farro, 3/4 taza (125 g/4 oz)

Caldo de verduras, 2 1/2 tazas (625 ml/20 fl oz)

Jitomate guaje (Roma), 2 grandes, partidos longitudinalmente a la mitad, sin semillas y picados grueso

Bolas pequeñas de queso mozzarella fresco (bocconcini), 125 g (1/4 lb), partidos a la mitad

Vinagre balsámico, 2 cucharaditas

Vinagre de vino tinto, 2 cucharaditas

Sal y pimienta recién molida

Aceite de oliva, 1 cucharada

Hojas de albahaca fresca, 8 grandes, cortadas transversalmente en tiras delgadas

4 PORCIONES

1 Prepare el farro

Coloque el farro en un tazón con 3 tazas (750 ml/24 fl oz) de agua y deje reposar a temperatura ambiente durante 2 horas. Escurra el farro y coloque en una olla. Agregue el caldo y hierva sobre fuego medio-alto. Reduzca el fuego a medio-bajo, tape y hierva a fuego lento aproximadamente 30 minutos, hasta que el farro esté suave. Deje reposar tapado durante 10 minutos. Pase a un tazón y deje enfriar hasta que esté a temperatura ambiente.

2 Arme la ensalada

Agregue los jitomates y el queso mozzarella al farro. En un tazón pequeño bata los vinagres con una cucharadita de sal y 1/8 cucharadita de pimienta. Integre el aceite, batiendo. Vierta el aderezo sobre la ensalada, agregue la albahaca y mezcle con un tenedor. Divida entre tazones poco profundos y sirva.

gratín de endibia y achicoria

Endibia belga (witloof), 4 cabezas grandes, partidas longitudinalmente a la mitad y cortadas en listones anchos

Achicoria, 2 cabezas pequeñas, partidas longitudinalmente a la mitad y cortadas en listones anchos

Leche, 1 ½ taza (375 ml/ 12 fl oz)

Mantequilla sin sal, 3 cucharadas

Harina, 2 cucharadas

Queso gruyere o comté, 1 taza (60 g/2 oz), rallado

Sal y pimienta recién molida

Queso parmesano, ¼ taza (60 g/2 oz), recién rallado

4 PORCIONES

1 Prepare las verduras

Precaliente el horno a 200°C (400°F). Engrase con mantequilla un refractario o platón para gratín poco profundo con capacidad de 2 l (2 qt). Agregue la endibia y la achicoria al platón preparado y mezcle.

2 Prepare la salsa

En una olla pequeña sobre fuego medio caliente la leche hasta que aparezcan pequeñas burbujas alrededor de la orilla. Retire del fuego. En una olla sobre fuego bajo derrita 2 cucharadas de la mantequilla. Agregue la harina y bata para incorporar. Eleve el fuego a medio-bajo y cocine durante 2 minutos, moviendo a menudo. Integre gradualmente la leche caliente, batiendo. Cocine durante 3 ó 4 minutos, moviendo frecuentemente, hasta que la salsa esté lo suficientemente espesa para cubrir el revés de una cuchara. Agregue ¾ taza del queso gruyere y mezcle hasta que se derrita. Sazone al gusto con sal y pimienta.

3 Termine el gratín

Usando una cuchara, coloque la salsa sobre las verduras y agregue la mantequilla restante en trozos. Espolvoree con el queso parmesano y el ¼ taza restante de queso gruyere. Hornee aproximadamente 30 minutos, hasta que la endibia esté suave y la superficie del gratín esté dorada. Sirva caliente directamente del platón.

sugerencia del chef

Cuando prepare salsa blanca tenga cuidado de que no se queme. Para obtener los mejores

resultados, derrita la mantequilla sobre fuego medio y bata la harina vigorosamente. Una vez dorada, continúe batiendo y agregue lentamente la leche caliente.

sugerencia del chef

El gumbo original lleva quingombó como espesante. Puede sustituirlo por 2 cucharadas de arroz de grano largo. Agréguelo a la olla cuando cocine las verduras.

gumbo de col rizada y frijol rojo

1 Cocine las verduras

Mezcle la col rizada, pimiento, cebollitas, jitomates y caldo en una olla gruesa u horno holandés. Agregue las hojas de laurel, orégano y tomillo. Hierva sobre fuego medio-alto. Reduzca el fuego a medio-bajo, tape y hierva a fuego lento aproximadamente 30 minutos, hasta que la col rizada esté suave.

2 Termine el gumbo

Agregue los frijoles y quingombó a las verduras. Tape y cocine cerca de 15 minutos si el quingombó es fresco, o 5 minutos si es congelado, hasta que esté suave. Sazone al gusto con sal, pimienta y salsa de chile picante, si la usa. Divida el arroz entre tazones profundos y vierta el gumbo sobre él.

Hojas de col rizada, 6 tazas (375 g/12 oz), picadas

Pimiento (capsicum) verde, 1, sin semillas y picado

Cebollita de cambray, 1 grande, sólo sus partes blancas y verde claro, picadas

Puré de tomate, 1 taza (220g/7 oz)

Caldo de verduras, 4 tazas (1 l/32 fl oz)

Hojas de laurel, 2

Orégano seco, 1 cucharadita

Tomillo seco, 1 cucharadita

Frijoles rojos, 1 lata (470 g/15 oz), escurridos y enjuagados

Quingombó o angú fresco, 8 brotes, cortados en trozos de 12 mm (½ in), o una taza de quingombó congelado

Sal y pimienta recién molida

Salsa de chile picante (opcional)

Arroz blanco cocido al vapor, para acompañar

4 PORCIONES

haga más para almacenar

spaghetti con salsa de jitomate sazonado

SALSA DE JITOMATE SAZONADO

Aceite de oliva, 2 cucharadas

Ajo, 4 dientes grandes, picados

Jitomate guaje (Roma) en trozos de lata, 4 latas (875 g/28 oz cada una), escurrido

Hojuelas de chile rojo, 1 cucharadita

Sal y pimienta recién molida

Sal

Spaghetti, 500 g (1 lb)

Albahaca fresca, ¼ 4 taza (20 g/¾ oz), finamente rebanada

Queso parmesano, ½ taza (60 g/2 oz), recién rallado más algunas láminas para adornar

4 PORCIONES

rinde aproximadamente 7 tazas (1.75 ml/56 fl oz) de salsa en total

Busque jitomates en lata de la mejor calidad para esta sustanciosa receta sazonada. Sírvala esta noche sobre un spaghetti y use el sobrante para preparar huevos al horno, berenjena a la parmesana o lasagna de polenta.

1 Prepare la salsa

En una olla grande sobre fuego medio caliente el aceite. Agregue el ajo y saltee durante un minuto. Añada los jitomates y las hojuelas de chile rojo, eleve el fuego a alto y hierva. Cuando suelte el hervor, reduzca el fuego a medio-bajo y hierva lentamente, sin tapar, durante 40 minutos, hasta que la salsa espese. Sazone al gusto con sal y pimienta. Retire 5 tazas (1 ml/40 fl oz) para almacenar y deje enfriar (vea Consejo de Almacenamiento a la derecha).

2 Cocine la pasta

Mientras tanto, ponga a hervir agua en una olla grande. Agregue 2 cucharadas de sal y la pasta al agua hirviendo. Cocine de acuerdo a las instrucciones del paquete, moviendo ocasionalmente para evitar que se pegue, hasta que esté al dente. Escurra reservando ½ taza (125 ml/4 fl oz) del agua de cocimiento. Agregue el agua de cocimiento necesaria para diluir la salsa. Divida la pasta entre tazones poco profundos, cubra con la salsa y adorne con la albahaca y las láminas de queso parmesano. Acompañe con el queso parmesano rallado a la mesa.

consejo de almacenamiento

Deje que la salsa se enfríe en la olla y posteriormente colóquela en recipientes. Si usa recipientes de plástico, cubra el interior con aceite líquido o en aerosol para evitar que la superficie se manche. Refrigere la salsa hasta por 4 días o congélela hasta por un mes.

sugerencia del chef

Use esta salsa de jitomate con cualquier tipo de huevos cocidos. Pruébela sobre un sencillo omelet de hierbas y queso o úsela para bañar huevos poché y pan campestre tostado.

huevos horneados en salsa de jitomate

1 Arme el platillo

Precaliente el horno a 200°C (400°F). Cubra ligeramente con aceite cuatro ramekins o refractarios individuales para gratín con capacidad de una taza (250 ml/8 fl oz) y colóquelos sobre una charola para hornear. En una olla sobre fuego medio caliente la salsa de jitomate. Divídala entre los refractarios preparados. Con el revés de una cuchara haga 2 huecos en la salsa de cada refractario. Rompa los huevos, uno a la vez, sobre un tazón y colóquelos dentro de los huecos. Espolvoree el queso uniformemente sobre la superficie de los huevos.

2 Hornee los huevos

Hornee alrededor de 20 minutos, hasta que los huevos se cuajen y el queso se haya derretido. Espolvoree con sal y pimienta y sirva.

Salsa de Jitomate Sazonado, 2 tazas (500 ml/16 fl oz), hecha en casa (página 72) o comprada

---

Aceite vegetal

Huevos, 8

Queso gouda o provolone, 1 taza (125 g/4 oz), rallado

Sal y pimienta negra recién molida

4 PORCIONES

berenjena horneada a la parmesana

Salsa de Jitomate Sazonado, 2 tazas (500 ml/16 fl oz), hecha en casa (página 72) o comprada

Huevo, 1, batido con una cucharada de agua

Migas de pan seco, ½ taza (60 g/2 oz)

Orégano seco, ½ cucharadita

Queso parmesano, 2 cucharadas, rallado

Sal y pimienta recién molida

Aceite de oliva, 2 cucharadas

Berenjena (aubergine), 2 pequeñas, aproximadamente 750 g (1 ½ lb), cortadas en 8 rebanadas

Queso mozzarella, 1 taza (125 g/4 oz), rallado

4 PORCIONES

1 Prepare la berenjena

Precaliente el horno a 200°C (400°F). Coloque la mezcla de huevo en un plato poco profundo y de boca ancha. Coloque las migas de pan en otro plato e integre el orégano, queso parmesano, ½ cucharadita de sal y ⅛ cucharadita de pimienta. En una sartén grande sobre fuego medio-alto caliente una cucharada del aceite. Trabajando con 4 rebanadas de berenjena al mismo tiempo, remoje cada rebanada en la mezcla de huevo, dejando que escurra el exceso sobre el tazón. Cubra ambos lados con las migas de pan y cocine durante 6 minutos en total, volteando una sola vez, hasta que se doren. Pase a un plato.

2 Arme el platillo

Usando una cuchara, coloque una tercera parte de la salsa sobre la base de un refractario cuadrado de 23 x 30 cm (9 x 12 in) ligeramente engrasado con aceite. Acomode 4 rebanadas de berenjena en una sola capa en el refractario. Usando una cuchara, bañe con una tercera parte de la salsa sobre las rebanadas y espolvoree con la mitad del queso mozzarella. Cubra con las rebanadas restantes de berenjena y bañe con la salsa y el queso mozzarella restantes.

3 Hornee la berenjena

Hornee aproximadamente 15 minutos, hasta que la berenjena esté suave y el queso se haya derretido y esté ligeramente dorado. Usando una espátula ancha, divida entre los platos y sirva.

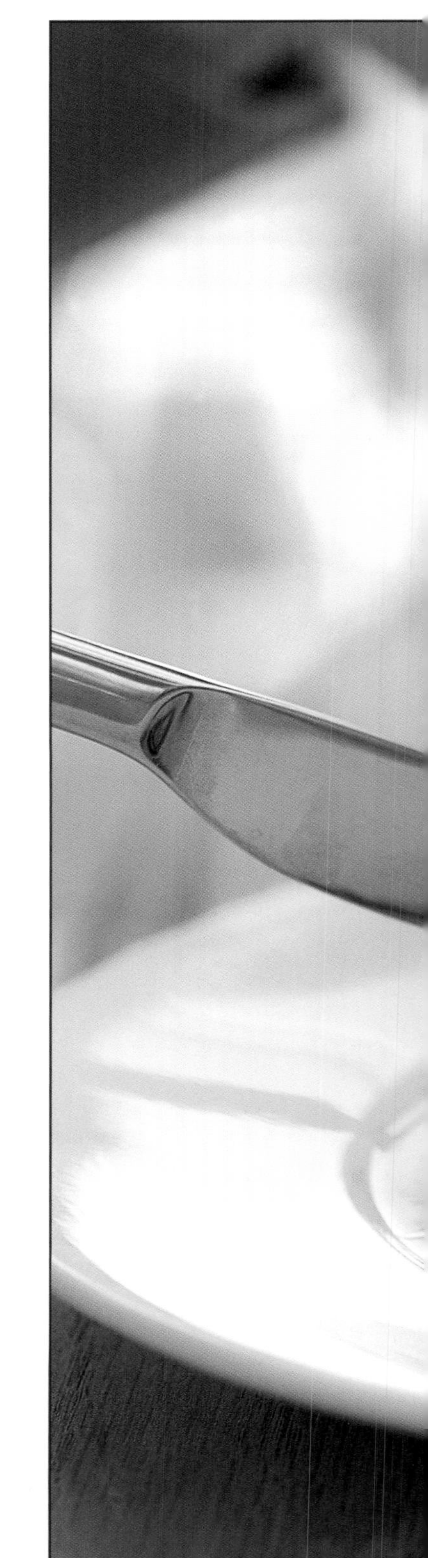

sugerencia del chef

Para reducir el amargor de la berenjena, espolvoree las rebanadas ligeramente con sal y deje escurrir en un colador colocado sobre un plato durante 30 minutos. Seque con toallas de papel para retirar la sal y el jugo amargo. No enjuague bajo el chorro de agua pues la berenjena la absorberá.

sugerencia del chef

Las alcaparras preservadas en sal tienen un sabor más fuerte que las conservadas en vinagre. Busque las alcaparras en sal en tiendas de productos italianos y tiendas especializadas en alimentos. Antes de usar las alcaparras en sal, remójelas en agua tibia durante 20 minutos y escurra.

rigatoni con caponata

1 Prepare la salsa

Ponga a hervir agua en una olla grande. En una sartén sobre fuego medio-alto caliente una cucharada del aceite. Agregue la cebolla y saltee cerca de 4 minutos, hasta que esté translúcida. Añada el aceite restante, la calabacita y la berenjena. Cocine aproximadamente 6 minutos, moviendo de vez en cuando, hasta que la berenjena se empiece a suavizar. Agregue la salsa de jitomate, la pasta de tomate, vinagre y azúcar. Ponga a hervir sobre fuego medio-alto. Cuando suelte el hervor, reduzca el fuego a medio y cocine, sin tapar, alrededor de 7 minutos, hasta que las verduras estén suaves. Integre las alcaparras y los piñones, sazone al gusto con sal y pimienta y reserve.

2 Cocine la pasta

Mientras tanto, agregue 2 cucharadas de sal y la pasta al agua hirviendo. Cocine de acuerdo a las instrucciones del paquete, moviendo ocasionalmente para evitar que se pegue, hasta que esté al dente. Escurra reservando ½ taza (125 ml/4 fl oz) del agua de cocimiento. Agregue la pasta a la salsa y mezcle. Añada el agua de cocimiento necesaria para diluir la salsa y sirva.

Salsa de Jitomate Sazonado, 1 ½ taza (375 g/12 fl oz), hecha en casa (página 72) o comprada

---

Aceite de oliva, 2 cucharadas

Cebolla amarilla o blanca, 1, picada

Calabacita (courgette), 1 pequeña, partida longitudinalmente en cuartos y rebanada

Berenjena (aubergine), 1 pequeña, aproximadamente 700 g (1 lb), cortada en cubos de 2 cm (¾-in)

Pasta de tomate, 2 cucharadas, mezclada con 2 cucharadas de agua tibia

Vinagre de vino tinto, 1 cucharada

Azúcar, 1 cucharadita

Alcaparras, 1 cucharada, enjuagadas y escurridas

Piñones, 2 cucharadas, tostados

Sal y pimienta recién molida

Rigatoni, 500 g (1 lb)

4 PORCIONES

lasagna de polenta

Salsa de Jitomate Sazonado, 2 tazas (500 ml/16 fl oz), hecha en casa (página 72) o comprada

Polenta precocida, 560 g (18 oz), cortada en 16 rebanadas

Queso ricotta fresco, ½ taza (125 g/4 oz)

Pesto, 2 cucharadas

Sal y pimienta recién molida

Queso mozzarella, 185 g (6 oz), cortado en 8 rebanadas

4 PORCIONES

1 Arme la lasagna

Precaliente el horno a 190°C (375°F). Engrase con aceite un refractario cuadrado de 23 cm (9 in). En un tazón pequeño mezcle el queso ricotta con el pesto. Sazone al gusto con sal y pimienta. Coloque las rebanadas de polenta y la mezcla de ricotta en el refractario haciendo capas. Cubra con la salsa de jitomate restante y con las rebanadas de queso mozzarella.

2 Hornee la lasagna

Hornee aproximadamente durante 20 minutos, hasta que el queso se derrita y la lasagna esté caliente. Sirva caliente directamente del refractario.

sugerencia del chef

El pesto de albahaca se vende en mayor cantidad de la que se necesita para esta lasagna. Para almacenar el pesto ponga cucharadas del mismo en una charola para hacer hielos y congélelo para usar en alguna otra ocasión.

consejo de almacenamiento

Deje enfriar el caldo y posteriormente páselo a recipientes herméticos. Almacénelo en el refrigerador hasta por 3 días o en el congelador hasta por 2 meses.

bisque cremosa de hongos

Este versátil caldo incluye tanto hongos frescos como secos. Es una base sazonada para hacer una deliciosa bisque y dejar suficiente sobrante para hacer una sustanciosa sopa de frijol blanco o un pilaf de arroz con sabor a nuez.

1 Prepare el caldo de hongos

En una olla grande sobre fuego medio-alto caliente el aceite. Agregue la cebolla y saltee cerca de 15 minutos, hasta dorar ligeramente. Añada los hongos, apio y granos de pimienta junto con 2.5 l (2 ½ qt) de agua. Ponga a hervir y, cuando suelte el hervor, reduzca el fuego a medio-bajo y deje hervir lentamente, sin tapar, durante 40 minutos. Retire del fuego y deje reposar durante una hora. Cuele hacia un tazón, presionando ligeramente sobre los sólidos para extraer el líquido; deseche los sólidos. Reserve 3 tazas (750 ml/24 fl oz) del caldo y almacene el resto (vea Consejo de Almacenamiento a la izquierda).

2 Cocine la sopa

En una olla grande y gruesa sobre fuego medio derrita la mantequilla. Agregue el chalote y saltee aproximadamente 2 minutos, hasta que esté translúcido. Añada los hongos cremini, tape y cocine cerca de 3 minutos, hasta que suelten su jugo. Integre la harina y cocine alrededor de un minuto, moviendo, hasta mezclar por completo. Incorpore el caldo reservado y el brandy. Ponga a hervir, tape y, cuando suelte el hervor, reduzca el fuego a medio y deje hervir lentamente durante 15 ó 20 minutos.

3 Termine la sopa

Pase la sopa a una licuadora y procese hasta hacer un puré. Agregue la crema y pulse dos veces. Sazone al gusto con sal y pimienta. Vierta en tazones, adorne con crema y sirva.

CALDO DE HONGOS

Aceite de oliva, 2 cucharadas

Cebolla amarilla o blanca, 2 grandes, picadas

Champiñones blancos, 750 g (1 ½ lb), rebanados

Hongos shiitake o porcini secos, 14 g (1/2 oz)

Apio, 4 tallos, picados

Granos de pimienta, 1 cucharadita

Mantequilla sin sal, 4 cucharadas (60 g/2 oz)
Chalote, 1 grande, picado

Hongos cremini, 315 g (10 oz), picados

Harina, 3 cucharadas

Brandy, ¼ taza (60 ml/2 fl oz)

Crema espesa, ½ taza (125 ml/4 fl oz) más la necesaria para adornar

Sal y pimienta recién molida

4 PORCIONES

rinde aproximadamente 7 tazas (1.75 kg/56 fl oz) de caldo en total

sopa de frijol blanco con acelga

Caldo de Hongos, 4 tazas (1 l/32 fl oz) (página 83)

Aceite de oliva, 1 cucharada

Cebolla morada, 1 grande, picada

Poro, 1, únicamente su parte blanca, partido a la mitad, enjuagado y rebanado

Ajo, 1 diente, finamente picado

Hongos portobello, 90 g (3 oz), sin tallos ni laminillas, partidos en dados

Tomillo seco, ½ cucharadita

Acelga, 90 g (3 oz), cortada en tiras de 12 mm (½ in) de grueso

Frijoles cannellini, 2 latas (470 g/15 oz cada una), escurridos y enjuagados

6 PORCIONES

1 Saltee las verduras

En una olla grande sobre fuego medio-alto caliente el aceite. Agregue la cebolla y el poro; saltee aproximadamente 4 minutos, hasta que las cebollas estén translúcidas. Añada el ajo, hongos y tomillo. Cocine cerca de 6 minutos, moviendo ocasionalmente, hasta que se haya evaporado el líquido que soltaron los hongos.

2 Termine la sopa

Agregue el caldo, acelga y frijoles y ponga a hervir sobre fuego alto. Cuando suelte el hervor reduzca el fuego a medio y deje hervir lentamente, sin tapar, durante 8 ó 10 minutos, hasta que la acelga esté suave. Sirva de inmediato.

sugerencia del chef

Para limpiar un poro con rapidez, corte la parte de color verde oscuro. Corte el tallo longitudinalmente a la mitad, dejando la raíz intacta. Enjuague el poro debajo del chorro de agua fría, separando las capas para retirar las arenillas que tenga dentro. Prepare como se indica en la receta, retirando la raíz.

sugerencia del chef

Se puede usar arroz integral regular de grano largo o corto para sustituir el basmati. Revise el paquete ya que el tiempo de cocción puede variar. El brócoli y el garbanzo se pueden sustituir por granos de elote y chícharos verdes o pimiento (capsicum) rojo, picado.

pilaf de hongos y brócoli

1 Cocine el arroz

Precaliente el horno a 180°C (350°F). En una olla sobre fuego medio caliente el caldo con el jerez durante 8 ó 10 minutos, hasta que se evapore. En una olla gruesa que pueda meter al horno u horno holandés sobre fuego medio-alto derrita la mantequilla. Agregue la cebolla y saltee durante 4 ó 5 minutos, hasta que esté translúcida. Añada el arroz y mezcle cerca de un minuto, hasta cubrir perfectamente con mantequilla. Integre el caldo caliente. Añada el tomillo, ½ cucharadita de sal y pimienta al gusto. Deje hervir, tapado, y hornee durante 35 minutos.

2 Termine el pilaf

Retire el arroz del horno e integre el brócoli y el garbanzo. Tape y hornee durante 10 ó 15 minutos, hasta que el brócoli esté suave. Deje reposar, tapado, durante 5 minutos. Destape y esponje el pilaf. Pase a platos trinche, espolvoree con las nueces de la India y las hojuelas de chile; sirva.

Caldo de Hongos, 2 ½ tazas (625 ml/20 fl oz) (página 83)

Jerez, 2 cucharadas

Mantequilla sin sal, 2 cucharadas

Cebolla amarilla o blanca, 1, finamente picada

Arroz basmati integral, 1 taza (220 g/7 oz)

Hojas de tomillo fresco, 1 cucharada

Sal y pimienta recién molida

Brócoli, 1 cabeza pequeña, cortada en racimos de 2.5 cm (1 in)

Garbanzo, 1 taza (220 g/7 oz), enjuagados y escurridos

Nueces de la India saladas asadas, ½ taza (60 g/2 oz), picadas grueso

Hojuelas de chile rojo, una pizca

4 PORCIONES

ensalada de lentejas con queso feta

LENTEJAS VERDES COCIDAS

Lentejas verdes, 500 g (1 lb)

Zanahoria, 1, partida a la mitad

Apio, 1 tallo, cortado en 3 piezas

Cebolla amarilla o blanca, 1, sin piel y partida a la mitad

Perejil liso (italiano) fresco, aprox. 5 ramas

Cebolla morada, 1, picada

Pimiento (capsicum) rojo asado, 1, sin semillas y picado

Perejil liso (italiano) fresco, ⅔ taza (30 g/1 oz), picado

Vinagre de vino tinto, 2 cucharadas

Aceite de oliva, 1 cucharada

Queso feta, ½ taza (75 g/2 ½ oz), desmoronado

Sal y pimienta recién molida

4 PORCIONES

rinde aproximadamente 6 tazas (1.3 kg/42 oz) de lentejas cocidas en total

Las lentejas absorben sazonadores y se pueden transformar en una gran variedad de diferentes platillos. Después de preparar las lentejas cocidas para esta ensalada usted puede usar los sobrantes en una sopa de pasta y lentejas o en un curry picante.

1 Cocine las lentejas

En una olla grande mezcle las lentejas, zanahoria, apio, cebolla amarilla, ramas de perejil y 8 tazas (2 l/64 fl oz) de agua. Deje hervir sobre fuego medio-alto y, cuando suelte el hervor, reduzca el fuego a medio-bajo, tape y hierva lentamente durante 30 ó 35 minutos, hasta que las lentejas estén suaves y el líquido se haya absorbido. Retire y deseche las verduras dejando 2 ½ tazas (545 g/17 ½ de las lentejas para la ensalada. Reserve las lentejas restantes y deje enfriar antes de almacenarlas para usar posteriormente. (vea Consejo de Almacenamiento a la derecha).

2 Prepare la ensalada

En un tazón mezcle la cebolla morada, pimiento, perejil picado y las lentejas reservadas. Integre el vinagre y el aceite. Añada el queso feta y mezcle. Sazone al gusto con sal y pimienta y sirva.

consejo de almacenamiento

Almacene las lentejas cocidas en recipientes herméticos dentro del refrigerador hasta por 3 días. Es mejor no congelar las semillas.

sugerencia del chef

Necesitará retirar las semillas de los jitomates y cortarlos en dados para esta receta. Primero, con un cuchillo para chef corte cada jitomate longitudinalmente a la mitad. Presione suavemente la mitad de jitomate sobre un tazón para retirar las semillas y el exceso de líquido. Posteriormente corte cada mitad de jitomate en tiras delgadas. Colóquelas juntas y corte transversalmente en dados. Repita la operación con las demás mitades de jitomate.

sopa siciliana de lenteja

1 Saltee las verduras

En una olla grande sobre fuego medio-alto caliente una cucharada del aceite. Agregue la cebolla y saltee aproximadamente 4 minutos, hasta que esté translúcida. Añada la cucharada restante de aceite, el ajo, el romero y la berenjena. Cocine alrededor de 5 minutos, moviendo frecuentemente, hasta que la berenjena esté translúcida y se empiece a suavizar.

2 Hierva la sopa

Agregue las lentejas, la pasta, canela y 6 tazas (1.5 l/48 fl oz) de agua. Ponga a hervir y, cuando suelte el hervor, reduzca el fuego a medio-bajo y deje hervir lentamente, sin tapar, alrededor de 10 minutos, hasta que la berenjena esté suave y la pasta esté al dente. Integre los jitomates y sazone al gusto con sal y pimienta. Vierta en tazones para sopa, rocíe con aceite de oliva y sirva.

Lentejas Verdes Cocidas, 3 tazas (655 g/21 oz) (página 88)

Aceite de oliva, 2 cucharadas más el necesario para rociar

Cebolla amarilla o blanca, 1 grande, picada

Ajo, 1 diente, finamente picado

Romero fresco, 1 cucharadita, finamente picado

Berenjena (aubergine), 1, aproximadamente 700 g (1 lb), cortada en cubos pequeños

Ditalini, macarrón u otra pasta corta, 30 g (1 oz)

Canela molida, 1/4 cucharadita

Jitomate guaje (Roma), 2, sin semillas y picados

Sal y pimienta recién molida

4 PORCIONES

curry de lenteja papa y espinaca

Lentejas Verdes Cocidas, 2 tazas (440 g/14 oz) (página 88)

Aceite de canola, 2 cucharadas

Cebolla amarilla o blanca, 1 grande, picada

Ajo, 2 dientes, finamente picados

Garam masala, 1 ½ cucharadita

Comino molido, 1 cucharadita

Semillas de cilantro, ½ cucharadita

Papa de piel roja, 2 grandes, cortadas en dados de 2.5 cm (1 in)

Espinaca miniatura, 2 tazas comprimidas (90 g /3 oz)

Sal y pimienta recién molida

Arroz blanco o basmati integral cocido al vapor, para acompañar

Yogurt simple, ¼ taza (60 g/2 oz)

4 PORCIONES

1 Saltee los condimentos

En una olla de base gruesa u horno holandés sobre fuego medio-alto caliente el aceite. Agregue la cebolla y saltee aproximadamente 8 minutos, hasta que se dore. Integre el ajo, garam masala, comino, semillas de cilantro y mezcle alrededor de un minuto, hasta que las especias se doren y aromaticen.

2 Cocine las verduras

Agregue las papas, lentejas y una taza (250 ml/8 fl oz) de agua. Ponga a hervir y, cuando suelte el hervor, reduzca el fuego a medio-bajo y hierva lentamente, sin tapar, alrededor de 10 minutos, hasta que las papas estén suaves. Integre la espinaca y cocine alrededor de 2 minutos, hasta que se marchite. Sazone al gusto con sal y pimienta. Usando una cuchara, pase el arroz a tazones y cubra con el curry de verduras. Adorne con el yogurt y sirva.

sugerencia del chef

Para complementar este platillo de una manera excelente se puede acompañar con arroz al vapor o pan naan de la India caliente. La espinaca se puede sustituir por hojas de mostaza o col rizada.

el cocinero inteligente

Ya sea que usted cocine para vegetarianos o simplemente quiera agregar algunas recetas saludables a su repertorio, en esta colección encontrará bastantes platillos inspiradores para toda ocasión. En las siguientes páginas hallará consejos para convertirse en un cocinero inteligente, pasando menos tiempo en la cocina y llevando a su mesa una comida sustanciosa incluso en las noches más ocupadas.

Mantenga su despensa y refrigerador bien surtidos y siempre tendrá los ingredientes que necesita para preparar una comida o cena rápida. Prepare un menú y una lista de compras semanal y así hará menos viajes a la tienda. Con estas sencillas estrategias usted podrá preparar deliciosos platillos vegetarianos en menos de 30 minutos. En las siguientes páginas encontrará consejos para organizar su tiempo y su cocina, las claves para convertirse en un cocinero inteligente.

manos a la obra

Usted puede ahorrar tiempo en la cocina y evitar viajes adicionales a la tienda si escribe su menú semanal y mantiene su despensa bien surtida. Aquí encontrará estrategias sencillas para planear comidas vegetarianas bien balanceadas, organizando sus viajes a la tienda y sacando el mayor provecho de su tiempo en la cocina. Una vez que cocine de manera más inteligente, podrá preparar comidas más saludables y fáciles de hacer cualquier día de la semana.

planee sus comidas

- **Vea toda la semana.** Durante el fin de semana tome el tiempo para pensar cuántas comidas tendrá que preparar para la semana. Querrá tener menús variados, mezclando platillos como un curry de inspiración hindú con aromático arroz basmati para una comida o cena, un gumbo criollo con pan campestre para alguna otra ocasión y un sofrito asiático acompañado de una ensalada de pepino para otro día de la semana. Si hace sus compras en el fin de semana trate de planear platillos que necesiten varios ingredientes frescos para los primeros días de la semana y deje las comidas que lleven principalmente ingredientes de la despensa para los últimos días de la semana.

- **Deje que las estaciones sean su guía.** Encontrará ingredientes más frescos y de mejor calidad además de economizar si compra y cocina de acuerdo a la temporada. Las frutas y verduras importadas que no son de temporada por lo general son más caras y a menudo tienen menos sabor. Planee sus menús para que vayan de acuerdo al clima: platillos más ligeros para la primavera y verano así como alimentos más sustanciosos para los días fríos.

- **Planee usar sus sobrantes.** Prepare raciones dobles de una receta sencilla, ya sea una sopa, guisado o gratín. Únicamente requiere de un poco más de tiempo que cocinar una porción menor y los sobrantes son grandes ahorradores de tiempo cuando usted necesite preparar un delicioso platillo con rapidez. Cuando sirva los sobrantes trate de darles una apariencia y sabor diferentes agregándoles un ingrediente fresco, adornándolos de forma distinta o complementándolos con otra guarnición.

- **Involucre a todos.** Pida a toda la familia que le ayude a planear el menú de la semana de manera que disfruten dando sus sugerencias. Además, anímelos también a ayudarle con la preparación de los alimentos.

PENSANDO EN LAS TEMPORADAS

primavera Saque provecho de los deliciosos sabores de las verduras frescas. Use bastantes hortalizas verdes como la albahaca, el eneldo y la menta para sazonar frittatas y pastas cremosas. Elija recetas que incluyan papas cambray, espárragos, poros y espinaca miniatura.

verano Disfrute las bondades del verano con jugosas ensaladas de jitomate y mazorcas de maíz fresco. Cocine a la parrilla verduras como berenjenas (aubergines), cebollas moradas, calabacitas (courgettes) y otras calabazas de verano, hongos portobello y pimientos (capsicums).

otoño Los granos enteros aderezados con nueces y frutas secas combinan bien con la cosecha de la temporada formada por calabaza acorn y butternut. A medida que desaparezcan las verduras de verano, sustitúyalas por tubérculos como betabeles, nabos, pastinacas, zanahorias y papas.

invierno Las sustanciosas sopas, los ragús y los risottos satisfacen los apetitos de clima frío. Equilibre estos sustanciosos primeros platos con crujientes ensaladas hechas de endibia belga (achicoria/witloof), hinojo y radicha o con hortalizas ricas en nutrientes salteadas como la col rizada y la acelga.

afínelo

Una vez que haya decidido cuál será el plato principal de su comida, elija entre una amplia variedad de atractivas guarniciones para afinar su menú. Tenga presente la velocidad y la facilidad de la preparación.

verduras braseadas Compre hortalizas empacadas y prelavadas como la espinaca o una mezcla de hortalizas para brasear y cocínelas en aceite de oliva. Para las hortalizas más duras como la col rizada, agregue un poco de consomé y cocine, tapadas, hasta que estén suaves.

pepinos Mezcle pepinos rebanados con vinagreta y hierbas frescas picadas como guarnición para los salteados y pilafs. O aderece las rebanadas con vinagre de arroz, aceite de ajonjolí asiático, una pizca de azúcar y un poco de semillas de ajonjolí tostado para acompañar los platos asiáticos.

verduras frescas Puede hervir, blanquear o asar muchas verduras con anticipación; refrigérelas y recaliéntelas a la hora de la comida o cena. O sirva las verduras a temperatura ambiente rociadas con una vinagreta o con aceite de oliva y jugo de limón.

papas Hierva papas de piel roja y mézclelas con mantequilla y cebollín picado, perejil o eneldo. Sírvalas calientes, a temperatura ambiente o frías. O mézclelas con aceite de oliva, sal de mar, pimienta y romero picado y ase (vea a la derecha).

pilafs de grano entero El amaranto, la quinoa, el farro, el mijo y la kasha, así como otros granos enteros, son guarniciones robustas y nutritivas. Saltee los granos con un poco de aceite de canola o mantequilla hasta que suelten un aroma a nuez. Agregue agua hirviendo o caldo de verduras, tape herméticamente y deje hervir a fuego lento hasta que estén suaves. Esponje con un tenedor y deje cocer al vapor, tapado, fuera del fuego durante algunos minutos para terminar la cocción.

cuscús El cuscús instantáneo, disponible simple o en una gran variedad de mezclas sazonadas toma menos de 10 minutos de preparación sobre la estufa y es una buena guarnición caliente o una ensalada fría.

ensalada Para ahorrar tiempo compre hortalizas empacadas y prelavadas. Elija ingredientes para ensalada que complementen el plato principal: una ensalada con lechuga, pepinos y un aderezo estilo asiático para acompañar un curry tai; o una ensalada de arúgula (rocket), jitomate y láminas de queso parmesano aderezada con aceite de oliva y jugo de limón para acompañar una pasta italiana. Haga una cantidad mayor de aderezo y almacénelo en el refrigerador para usar en la semana.

jitomates Acomode rebanadas de jitomate fresco en un platón. Justo antes de servir espolvoree con sal de mar y pimienta molida grueso y rocíe con un aceite de oliva afrutado o un alioli a las hierbas. Si lo desea, póngale algunas hojas de albahaca fresca entre las rebanadas y cubra con queso feta desmoronado o queso mozzarella fresco finamente rebanado.

verduras asadas La coliflor, los espárragos y los pimientos (capsicums) se prestan bien para asar a fuego alto. Mezcle las verduras con un poco de aceite de oliva, sal y pimienta; ase acomodándolas en una sola capa sobre una charola para hornear a 220°C (425°F) durante 10 ó 20 minutos, moviendo ocasionalmente, hasta que estén suaves y se empiecen a dorar. Los tubérculos como los betabeles, zanahorias, pastinaca y papas se pueden pelar, partir en cubos y asar en forma similar a 180°C (350°F) durante 40 ó 50 minutos.

postres sencillos Cubra una bola de helado con salsa de moras, chocolate o caramelo. En verano mezcle frutas del bosque con rebanadas de durazno, nectarina o ciruela y rocíe con un delicioso licor o cubra con crema batida. En el otoño e invierno sirva peras poché, manzanas al horno, frutas secas cocidas o puré de manzana hecho en casa acompañado de galletas.

ejemplos de comidas

Estos menús están diseñados para ayudarle a planear sus comidas semanales. Piense en su agenda y mezcle y combine los platos principales con las guarniciones para crear el plan que mejor le funcione. Cocine porciones dobles de alimentos básicos como son una salsa de jitomate o algunas lentejas durante el fin de semana de manera que pueda usar los sobrantes para almuerzos o cenas más adelante en la semana.

EN MINUTOS

Linguine con Salsa de Hongos a la Crema
(Página 17)
Hortalizas mixtas con vinagreta de balsámico

Foccacia caliente a las hierbas con aceite de oliva

Salteado de Tofu con Salsa de Frijol Negro
(Página 25)

Arroz jazmín al vapor

Frittata de Pimiento Rojo y Queso de Cabra
(Página 14)

Espárragos asados

Tortitas a las hierbas

Guisado de Frijol a la Española
(Página 46)

Sándwiches de queso y jitomate a la parrilla

Sopa Miso con Fideo Udon
(Página 26)

Rollos de sushi de verduras comprados

Ensalada de pepino con vinagreta de vino de arroz

PARA EL FIN DE SEMANA

Curry de Garbanzo y Camote
(página 29)

Raita de pepino y cilantro

Arroz basmati al vapor

Tortitas de Maíz Picante con Frijoles Negros
(página 38)

Tortillas de maíz calientes

Ensalada de jícama y pimiento rojo con vinagreta de limón

Hamburguesas de Portobello Asado
(página 45)

Rebanadas de papa asadas al horno

Hortalizas mixtas con vinagreta

Berenjena Horneada a la Parmesana
(página 76)

Ensalada de espinaca miniatura con champiñones rebanados y vinagreta de balsámico

Gratín de Endibia y Achicoria
(página 66)

Espárragos al vapor

Calabaza butternut asada

PARA INVITADOS

Risotto de Hongos Silvestres con Chícharos
(página 34)

Ensalada de hinojo rasurado

Palitos de pan

Tarta Primavera de Verduras
(página 53)

Ensalada de lechuga mantequilla con aguacate y vinagreta de champagne

Pappardelle con Calabacitas y Limón
(página 13)

Jitomates rebanados con albahaca y aceite de oliva

Crostini de ajo

Espárragos a la Milanesa
(página 22)

Rebanadas de papa roja asada con mantequilla y hierbas

Ensalada de arúgula y queso parmesano con vinagreta de vino tinto

Tartaletas de Papa y Queso Gruyere
(página 54)

Alcachofas al vapor con mantequilla derretida de limón

HÁGALO FÁCIL

preparación por anticipado Use un procesador de alimentos para picar verduras, mezclar salsas o aderezos, así como para rallar queso. Hágase el hábito de preparar sus ingredientes la noche anterior a que los necesite. Almacene en recipientes herméticos de manera que pueda usarlos en el momento en que los necesite.

use los utensilios adecuados Es indispensable un juego de buenos cuchillos para trabajar eficientemente en la cocina. Empiece con un cuchillo para chef de 20 cm (8 in), un cuchillo mondador, un cuchillo de sierra para pan, así como un afilador de cuchillos (chaira). También necesitará una sartén de buena calidad, una sartén para asar con parrilla y algunas ollas de base gruesa de diferentes tamaños.

prepare sus ingrediente Cuando empiece una receta reúna y mida todos los ingredientes que va a necesitar. De esta manera no tendrá que buscar en su despensa aquellos ingredientes en el último minuto y sus anaqueles no estarán llenos de cajas y frascos. Elija un juego de tazones pequeños de diferentes tamaños para reservar los ingredientes.

limpie a medida que trabaje Mantenga su cocina organizada limpiando a medida que cocine. Empiece con una cocina limpia y una lavadora de platos vacía y organícese para tener a la mano algunos trapos limpios. Guarde los ingredientes a medida que los use, limpie la superficie de trabajo a menudo y ponga las sartenes y tazones usados en el fregadero una vez que termine de usarlos. Llene las sartenes con agua caliente para que se remojen mientras come; cuando regrese a la cocina cualquier residuo de comida será más fácil de tallar.

atajos

En aquellos días que usted no tenga tiempo para cocinar puede encontrar múltiples alimentos sabrosos y completos en los supermercados bien surtidos o en las tiendas especializadas en alimentos para completar su menú. A continuación presentamos varios platillos fáciles de hacer que pueden hacerse en el último minuto para aquellas ocasiones en que necesite una comida rápida o un aperitivo sustancioso.

- **Tofu marinado** Estos cuadros de tofu prensados, marinados y horneados, listos para comerse, son una gran base para un sándwich, ensalada o sofrito de verduras. Se encuentran en la sección de refrigerados de los supermercados, vienen en una variedad de sabores y, además, son una excelente fuente de proteínas.

- **Humus** El humus preparado se puede encontrar fácilmente en los supermercados. Aderécelo con un poco de jugo de limón fresco y con un chorrito de aceite de oliva extra-virgen. Tueste pan árabe de trigo y rellénelo con humus, zanahoria rallada, rebanadas de jitomate y tahini comprado. También lo puede utilizar como parte de una ensalada estilo mediterráneo. Puede servir el humus acompañado de aceitunas, queso feta, hojas de parra rellenas y jitomates cereza.

- **Huevos** Es buena idea tener a la mano una buena cantidad de huevos. Haga una frittata rápida (página 14) y acompáñela con pan tostado y una ensalada verde aderezada con vinagreta, o prepare una omelet sencilla usando sobrantes de verduras picadas y queso y acompáñela con papas salteadas.

- **Cortezas de Pizza** Las cortezas prehorneadas para pizza se pueden transformar rápidamente en una cena o botana sencilla. Cubra con una salsa preparada, sobrantes de verduras y queso rallado y hornee a 230°C (450°F) hasta que la corteza esté bien caliente y el queso se haya derretido.

- **Pasta** Siempre tenga en su despensa algunos paquetes de pasta y frascos de salsa para pasta. Agregue a la salsa salchichas vegetarianas desmoronadas o cubos de tofu horneado marinado para tener más sabor y textura, o mézclela con sobrantes de hortalizas cocidas, pimientos (capsicums) rojos asados y aceitunas rebanadas. Cubra la pasta preparada con queso parmesano recién rallado para obtener una sustanciosa cena.

- **Burritos** Tenga tortillas de harina en el refrigerador para preparar burritos o tacos suaves usando queso, salsa, arroz y frijoles pintos o negros refritos de lata. Caliente la tortilla, rellene con los ingredientes y enróllelos para comérselos.

la compra inteligente

Si usa productos de la mejor calidad podrá obtener comidas memorables. Busque una frutería y una tienda confiable que se especialice en alimentos y que tenga ingredientes de la mejor calidad así como buen servicio. Si es posible, llame con anterioridad y haga su pedido de manera que se lo tengan listo para que pueda recogerlo de camino a casa. También deténgase en su mercado local con regularidad para estar al corriente de los productos de temporada.

- **Frutas y verduras** Busque frutas y verduras orgánicas o cultivadas en la localidad siempre que le sea posible para obtener un mejor sabor y alimentos más saludables. Las hortalizas y hierbas deben ser de color brillante y no deben tener orillas oscuras, marchitas ni amarillentas. Los tubérculos como la zanahoria y el betabel deben sentirse sólidos y las demás verduras como los pepinos, berenjenas (aubergines) y calabacitas (courgettes) deben estar firmes al tacto y con pieles firmes. No compre cebollas, ajo ni papas con brotes y evite comprar papas con manchas verdes. Si hay un mercado de granjeros en su localidad hágase el hábito de visitarlo una vez a la semana para mantenerse al día de los productos de temporada y aprovechar las ofertas de frutas y verduras debido a los excedentes.

- **Tofu** El cuajo de frijol se puede encontrar empacado en agua o sellado al vacío en cajas esterilizadas. Siempre revise la fecha de caducidad antes de comprarlo; el tofu empacado en agua se descompone más fácilmente que el empacado al vacío. Para los sofritos y sopas busque tofu de consistencia media o firme, el cual mantiene su forma, ya sea en rebanadas o cubos. Para rellenar sándwiches, dips o postres, use tofu suave o sedoso.

- **Caldo** El caldo de verduras de buena calidad se puede encontrar en lata o cajas esterilizadas en los anaqueles del supermercado. Lea la etiqueta cuidadosamente para evitar ingredientes dañinos y, si fuera posible, compre marcas orgánicas para obtener una excelente salud y el mejor sabor. Es recomendable evitar caldo de verduras que contenga zanahorias como su ingrediente principal ya que estos productos dan un tono anaranjado a los platillos terminados.

- **Granos** Si usted vive cerca de una buena tienda de alimentos naturales, busque granos enteros que se venden a granel. Cuando compre granos empacados siempre revise la fecha de caducidad. Los granos deben tener un sabor fresco ligeramente a nuez. Evite los que tienen olores húmedos o rancios o si tienen hebras o grumos.

HAGA UNA LISTA DE COMPRAS

prepare con anticipación Haga una lista de los ingredientes que debe comprar antes de ir de compras.

haga una plantilla Organice una plantilla que contenga la lista de ingredientes en su computadora y llénela durante la semana antes de ir de compras.

clasifique su lista Use las siguientes categorías para tener sus listas organizadas: abarrotes, productos frescos y ocasionales.

- **artículos de abarrotes** Revise su alacena y escriba los artículos que deben resurtirse
- **ingredientes frescos** Estos son para uso inmediato e incluyen frutas y verduras, lácteos, tofu y algunos quesos. Quizás necesite visitar diferentes tiendas o secciones del supermercado, por lo que debe dividir la lista en subcategorías.
- **artículos ocasionales** Esta es una lista variable de artículos de refrigeración que se sustituyen conforme sea necesario como son mantequilla, leche y huevos.

sea flexible Esté dispuesto a cambiar sus menús dependiendo de los ingredientes más frescos del mercado.

aproveche su tiempo al máximo

Una vez que haya planeado las comidas de la semana, piense cómo va a organizar su tiempo. Haga su compra y prepare sus ingredientes por adelantado y estará listo para cocinar a la hora de la comida o cena.

- **Abastézcase** Evite compras de última hora manteniendo su alacena bien surtida. Haga una nota sobre su lista de compras siempre que se le esté terminando algún alimento básico y sustitúyalo la siguiente vez que vaya a la tienda. Tenga una buena dotación de ingredientes básicos no perecederos de manera que pueda improvisar una comida o una guarnición rápida. Vea las páginas 98 y 99 si desea sugerencias.
- **Compre menos** Haga su lista de compras cuando haga su plan semanal de comidas y revise su alacena. Si planea cuidadosamente podrá comprar todos los ingredientes básicos que va a necesitar para la semana en un solo viaje.
- **Hágalo por adelantado** Haga todo lo que pueda por anticipado cuando tenga tiempo libre. Lave, pele y pique las verduras, almacénelas en bolsas de plástico o recipientes con cierre hermético. Prepare marinadas o aderezos para ensalada y almacénelos en el refrigerador. Cocine guarniciones adicionales como arroz, polenta o verduras al vapor y almacénelas en recipientes herméticos dentro del refrigerador. Revise sus ingredientes y utensilios la noche anterior de manera que pueda encontrar todo fácilmente cuando empiece a cocinar.
- **Duplique** Haga sobrantes para el siguiente día. Si los sobrantes se usan con inteligencia éstos pueden ser muy útiles para un cocinero ocupado. Pero no sirva una versión recalentada del mismo platillo al día siguiente. En vez de duplicar una receta completa, cocine únicamente la base de la receta, sin las salsas que lo acompañan o los saborizantes adicionales. En la siguiente comida usted puede presentar el ingrediente principal con una salsa o un sazonador diferente.
- **Cocine de manera más inteligente** Antes de empezar a cocinar lea la receta con cuidado. Visualice las técnicas y revise la receta paso a paso en su mente. Limpie sus alacenas y asegúrese de que la cocina esté limpia y ordenada antes de empezar. Si tiene amigos o familia que pueda ayudarle, distribuya las tareas específicas como son el pelar zanahorias, picar cebollas, hacer la ensalada o poner la mesa.

UTENSILIOS PARA AHORRAR TIEMPO

procesador de alimentos Un procesador de alimentos pequeño es útil para picar pequeñas cantidades de ajo, perejil y otras hierbas. Un procesador de tamaño estándar con capacidad de 12 a 14 tazas (3 a 3.5 l) es útil para preparar pesto, picar cebollas, rallar queso o zanahorias, o hacer dips así como algunos otros alimentos.

sartén para asar Esta sartén acanalada de hierro forjado se usa sobre la estufa y produce atractivas marcas, además proporciona prácticamente el mismo sabor que si se cocina sobre una parrilla al aire libre. Para asegurarse de que los alimentos estén bien sellados siempre precaliente la sartén sobre fuego alto aproximadamente 5 minutos antes de cocinar los alimentos.

microplane Disponible en diferentes tamaños, formas y grados de finura, estos ralladores manuales fáciles de usar son el mejor aditamento para rallar fácil y rápidamente quesos duros, chocolate, ralladura cítrica y jengibre fresco.

secador de lechuga Ya sea que su secador use bomba, manija o un cordón que se jala, la fuerza centrífuga que hace girar a las hortalizas le proporcionará una ensalada crujiente y seca. Dependiendo del tipo de secador de lechuga, la canasta también puede servir como colador para enjuagar las hortalizas.

wok Con su gran tamaño, lados inclinados y base redonda, un wok es el implemento ideal para cocinar los sofritos asiáticos. La forma y profundidad de la sartén garantiza que todos los ingredientes quedarán expuestos a la superficie caliente y que se pueden mezclar y mover sin temor de que salgan fuera del borde.

la cocina bien surtida

La cocina inteligente requiere estar preparado. Si su despensa, refrigerador y congelador están bien surtidos y organizados, ahorrará tiempo cuando prepare una comida. Una vez que haya adquirido el hábito de mantener un registro de los ingredientes que tiene en su cocina, hará sus compras con menos frecuencia y tardará menos en la tienda cuando lo haga.

En las siguientes páginas encontrará una guía de todos los ingredientes que debe tener a la mano para hacer las recetas de este libro, además de docenas de consejos para organizarlos y almacenarlos de manera adecuada. Revise lo que tiene en su cocina y haga una lista, vaya de compras y llene sus anaqueles. Una vez que su cocina esté organizada y abastecida, tardará menos tiempo cocinando y tendrá más tiempo libre para disfrutar de su familia y amigos alrededor de la mesa.

la despensa

La despensa, por lo general, es un closet o una o más alacenas en la cual se almacenan los alimentos en frasco, las hierbas secas y especias, aceites y vinagres, granos y pastas e ingredientes frescos como papas, cebollas, ajo, jengibre y chalotes. Asegúrese de que su despensa esté relativamente fría, seca y oscura, ya que el calor y la luz directa hacen que las hierbas y especias pierdan su intensidad y apresuran el proceso de maduración provocando que los granos y aceites se hagan rancios.

surta su despensa

- Haga inventario de su despensa con la lista de Alimentos Básicos en la Despensa.
- Retire todo de la despensa; limpie las tablas y vuelva a cubrir con papel, si fuera necesario, y organice los artículos por categoría.
- Deseche los artículos con fecha de caducidad expirada o que tengan apariencia rancia o dudosa.
- Haga una lista de los artículos que tiene que sustituir o comprar.
- Compre los artículos de su lista.
- Mantenga los alimentos básicos que usa a menudo al frente de la despensa.
- Feche los artículos perecederos y etiquete los artículos comprados a granel.
- Vuelva a colocar los artículos en la despensa, organizándolos por categoría.
- Mantenga las hierbas secas y especias en recipientes separados y de preferencia en un organizador, tabla o cajón especial para especias y hierbas.

manténgalo ordenado

- Vea las recetas de su plan semanal y revise su despensa para asegurarse de que tiene todos los ingredientes que vaya a necesitar.
- Rote los artículos cuando los use, moviendo los más antiguos hacia el frente de la despensa para que se usen primero.
- Mantenga una lista de los artículos que se acabaron para que pueda sustituirlos.

MARINADAS RÁPIDAS

Para aquellos momentos en que se tienen alimentos frescos a la mano pero no se cuenta con el tiempo suficiente, aquí presentamos algunas ideas para hacer aderezos rápidos y sencillos usando ingredientes de su despensa. Simplemente sazone las verduras o el tofu al gusto con alguno de los siguientes aderezos, después áselos, fríalos o cuézalos y su comida estará lista.

ACEITES CON INFUSIÓN

- Aceite con infusión de chile
- Aceite con infusión de hierbas
- Aceite con infusión de ajo

MEZCLAS DE ESPECIAS

- Garam masala
- Polvo de curry
- Sazonador criollo
- Chile en polvo (sirva con limón)

VINAGRES Y VINAGRETAS

- Vinagre balsámico
- Vinagres con sabor
- Vinagreta comprada

OTROS

- Hongos secos molidos como los porcini, chanterelle o shiitake
- Semillas de ajonjolí
- Semillas de hinojo molidas
- Hierbas de Provenza

ALMACENAMIENTO DE LA DESPENSA

hierbas secas y especias Las hierbas secas y especias empiezan a perder sabor después de 6 meses. Cómprelas en pequeñas cantidades, almacénelas en recipientes herméticos etiquetados con la fecha de compra y sustitúyalas a menudo.

aceites Almacene las botellas cerradas de aceite a temperatura ambiente en un lugar fresco y oscuro. Los aceites durarán hasta un año pero su sabor disminuye con el tiempo. Almacene las botellas abiertas durante 3 meses a temperatura ambiente o hasta 6 meses en el refrigerador.

granos y pasta Almacene los granos en recipientes herméticos hasta por 3 meses, revisando ocasionalmente signos de rancidez o descomposición. La vida en anaquel de la mayoría de las pastas secas es de un año. Aunque se pueden comer después de ese tiempo, éstas habrán perdido su sabor y pueden estar correosas. Una vez que haya abierto un paquete, ponga lo que no haya usado en un recipiente hermético.

alimentos frescos de la alacena Almacene sus ingredientes frescos de la despensa como son el ajo, las cebollas, los chalotes y algunas raíces y tubérculos en un lugar fresco y oscuro, revisando ocasionalmente que no haya brotes ni deterioro y desechándolos si fuera necesario. Nunca coloque las papas junto a las cebollas; cuando se colocan unas junto a las otras producen gases que aceleran el deterioro. Almacene las frutas cítricas sin amontonar y descubiertas sobre la cubierta de su cocina.

alimentos enlatados Deseche los alimentos enlatados cuando la lata muestre signos de expansión. Una vez que haya abierto una lata, pase el contenido que no haya usado a un recipiente o bolsa de plástico con cierre hermético y refrigere o congele.

ALIMENTOS BÁSICOS DE LA DESPENSA

HIERBAS Y ESPECIAS SECAS

- curry en polvo
- chile en polvo
- hojuelas de chile rojo
- jengibre
- páprika
- pimienta de cayena

ACEITES

- asiático de ajonjolí
- de canola
- de oliva

VINAGRES

- balsámico
- de jerez
- de vino tinto

ALIMENTOS EN LATA O FRASCO

- alcaparras
- frijoles: rojos, garbanzos, riñón y pintos
- jitomates; en dados, enteros, puré
- leche de coco
- pasta de tomate
- pimientos (capsicums) rojos asados

ARTÍCULOS OCASIONALES

- bicarbonato de sodio
- caldo de verduras
- fécula de maíz
- harina
- hongos porcini secos
- lentejas verdes
- migas de pan seco

GRANOS Y HARINAS

- arroz; arborio, basmati, arroz salvaje
- cornmeal
- cuscús
- *farro*
- fideo asiático de trigo
- pasta seca
- polenta de cocimiento rápido

CONDIMENTOS

- mostaza de grano entero
- pasta de chile
- salsa de chile picante
- salsa de soya

NUECES Y FRUTAS SECAS

- almendras
- arándanos
- nuez de la India
- piñones

ALIMENTOS FRESCOS

- aguacate
- ajo
- calabaza de invierno
- cebollas
- chalotes
- jengibre fresco
- jitomates
- papas

LICORES

- sake
- jerez
- vino blanco

el refrigerador y congelador

Una vez que haya surtido y organizado su despensa, puede usar los mismos lineamientos para ahorrar tiempo en su refrigerador y congelador. El refrigerador, usado para almacenar durante poco tiempo a temperatura baja, es ideal para mantener frescas sus verduras, frutas, lácteos, tofu y sobrantes. Si congela sus alimentos de la manera adecuada, mantendrá gran parte del sabor de muchos platillos preparados durante varios meses.

consejos generales

- Los alimentos pierden sabor en refrigeración, por lo que es importante un almacenamiento adecuado y una temperatura uniforme menor a 5°C (40°F).
- Congele alimentos a -18°C (0°F) para retener color, textura y sabor.
- No amontone los alimentos en el refrigerador. Debe circular aire libremente para mantener sus alimentos uniformemente fríos.
- Para evitar que los alimentos se quemen en el congelador, use envolturas a prueba de humedad como papel aluminio, recipientes herméticos de plástico o bolsas de plástico con cierre hermético.

almacenamiento de sobrantes

- Puede almacenar la mayoría de sus platos principales preparados en un recipiente hermético dentro del refrigerador hasta por 4 días o en el congelador hasta por 4 meses.
- La mayoría de las ensaladas hechas de granos, frijoles o papa pueden ser almacenadas en un recipiente con cierre hermético dentro del refrigerador hasta por 4 días. Las ensaladas hechas con verduras frescas no se congelan bien.
- Revise el contenido del refrigerador por lo menos una vez a la semana y deseche rápidamente los alimentos viejos o echados a perder.
- Deje que los alimentos se enfríen a temperatura ambiente antes de meterlos al refrigerador o congelador. Pase los alimentos fríos a una bolsa de plástico con cierre hermético o a un recipiente de vidrio, dejando lugar para que se expandan al congelarse. O coloque en una bolsa de plástico con cierre hermético para congelar, sacando la mayor cantidad de aire que le sea posible antes de cerrarla.

MANTÉNGALO ORGANIZADO

limpie primero Retire algunos alimentos a la vez y lave el refrigerador a conciencia con agua jabonosa caliente y enjuague bien con agua limpia. Lave y enjuague su congelador al mismo tiempo.

rote los artículos Revise la fecha de caducidad de los artículos en el refrigerador y deseche aquellos que hayan pasado de esa fecha. También retire aquellos productos que huelan mal o se vean dudosos.

abastézcase Use la lista de la siguiente hoja como punto de partida para decidir los artículos que necesita comprar o sustituir.

compre Compre los artículos de su lista.

fecha de compra Etiquete los artículos que planee mantener durante más de unas semanas escribiendo la fecha directamente sobre el paquete o sobre un trozo de masking tape.

ALMACENAMIENTO DE VINO

Una vez que se abre una botella de vino éste queda expuesto al aire, haciendo que eventualmente tenga un sabor avinagrado. Almacene el vino abierto en el refrigerador hasta por 3 días.

PRODUCTOS BÁSICOS DEL REFRIGERADOR

ALIMENTOS REFRIGERADOS

- buttermilk
- queso: cheddar, fontina, de cabra, gouda, gruyere, manchego, mozzarella, parmesano, ricotta
- crema ácida
- crema espesa
- huevos
- leche
- mantequilla sin sal
- yogurt simple

FRUTAS Y VERDURAS

- acelga
- apio
- arúgula (rocket)
- betabeles
- bok choy
- brócoli
- calabacitas (courgettes)
- cebollitas de cambray
- coliflor
- chiles (tai o jalapeño)
- endibia belga (achicoria/witloof)
- espárragos
- germinado de frijol
- hinojo
- hongos
- manzanas
- pepinos
- pimientos (capsicums)
- zanahorias

almacenado de hierbas y verduras frescas

- Corte las bases de un manojo de perejil, coloque el manojo en un vaso con agua, cubra las hojas holgadamente con una bolsa de plástico y refrigere. Envuelva las demás hierbas frescas en toallas de papel húmedas, coloque en una bolsa de plástico y almacene en el cajón de verduras de su refrigerador. Enjuague y retire los tallos de todas las hierbas antes de usarlas.

- Almacene los jitomates y berenjenas (aubergines) a temperatura ambiente.

- Corte aproximadamente 12 mm (½ in) del tallo de cada espárrago; coloque los espárragos, con la punta hacia arriba, en un vaso con agua fría; refrigere cambiando el agua diariamente. Los espárragos durarán frescos hasta por una semana.

- Enjuague las hortalizas como la acelga, seque en un secador de ensaladas, envuelva en toallas de papel húmedas y almacene en una bolsa de plástico con cierre hermético dentro del cajón de verduras de su refrigerador hasta por una semana. Almacene las demás verduras en bolsas de plástico con cierre hermético dentro del cajón de verduras de su refrigerador y enjuáguelas antes de usarlas. Los vegetales duros durarán frescos una semana; los más delicados únicamente durarán algunos días.

almacenamiento de queso

- Envuelva todos los quesos perfectamente para evitar que se sequen. Los quesos duros como el parmesano tienen menos contenido de humedad. Por esta razón estos duran más tiempo que otros con mayor contenido de humedad como el queso feta o el queso fresco. Use los quesos frescos en un par de días. Almacene los quesos suaves y semi suaves hasta por dos semanas y los quesos duros hasta por un mes.

almacenamiento de productos de soya

- Una vez que la envoltura original del tofu haya sido abierta, escurra y enjuague el tofu y vuelva a escurrir, enjuagar y empacar en un recipiente con cierre hermético. Agregue agua limpia para cubrir el tofu completamente, tape el recipiente y refrigere. Cambie el agua diariamente. El tofu se mantendrá fresco hasta por una semana.

- El edamame fresco es mejor si se usa dentro de las primeras 24 horas de haberlo comprado. Sin embargo, si se envuelve herméticamente en plástico adherente se puede refrigerar hasta por 2 semanas y si se coloca en el congelador hasta por 2 meses.

índice

M

N

P

Q

R

S

T

U

V

W

Z

degustis

DEGUSTIS
Un sello editorial de
Advanced Marketing S. de R.L. de C.V
Importado y publicado en México en 2007 por
/Imported and published in Mexico in 2007 by
Advanced Marketing, S. de R.L. de C.V.
Calzada San Francisco Cuautlalpan No. 102 Bodega "D"
Col. San Francisco Cuautlalpan Naucalpan de Juárez
Edo. México, C.P. 53569

WILLIAMS-SONOMA
Fundador y Vice-presidente Chuck Williams

SERIE LA COCINA AL INSTANTE DE WILLIAMS-SONOMA
Ideado y producido por Weldon Owen Inc.
814 Montgomery Street, San Francisco, CA 94133
Teléfono: 415 291 0100 Fax: 415 291 8841

En colaboración con Williams-Sonoma, Inc.
3250 Van Ness Avenue, San Francisco, CA 94109

Fotógrafo Bill Bettencourt
Estilista de Alimentos Kevin Crafts
Asistente de Fotógrafo Angelica Cao
Asistente de Estilista de Alimentos Alexa Hyman
Escritor del texto Stephanie Rosenbaum

Library of Congress Cataloging-in-Publication Data.
ISBN 13: 978-970-718-560-9
Título Original / Original Title: Vegetariana / Vegetarian

WELDON OWEN
CEO, Weldon Owen Group John Owen
CEO y Presidente, Weldon Owen Inc. Terry Newell
CFO, Weldon Owen Group Simon Fraser
Vicepresidente de Ventas y Desarrollo de Nuevos Proyectos Amy Kaneko
Vicepresidente y Director de Creatividad Gaye Allen
Vicepresidente y Editor Hannah Rahill
Director de Arte Senior Kyrie Forbes Panton
Editor Senior Kim Goodfriend
Editor Lauren Hancock
Diseñador Senior y Director de Fotografía Andrea Stephany
Diseñador Britt Staebler
Director de Producción Chris Hemesath
Director de Color Teri Bell
Coordinador de Producción Todd Rechner

UNA PRODUCCIÓN DE WELDON OWEN

Impreso en Formata
Primera impresión en 2007
10 9 8 7 6 5 4 3 2 1
Separaciones en color por Bright Arts Singapore
Impreso por Tien Wah Press

Fabricado e impreso en Singapur
/ Manufactured and printed in Singapore

RECONOCIMIENTOS

Weldon Owen agradece a las siguientes personas por su generosa ayuda para producir este libro: Heather Belt, Ken DellaPenta, Judith Dunham, Denise Lincoln, Lesli Neilson, Sharon Silva, Jen Straus y Vistoria Woolard.

Fotografías por Tucker + Hossler: página 45

Portada diseñada por Jen Straus; Ragú de Polenta con Verduras, página 30

UNA NOTA SOBRE PESOS Y MEDIDAS

Todas las recetas incluyen medidas acostumbradas en Estados Unidos y medidas del sistema métrico. Las conversiones métricas se basan en normas desarrolladas para estos libros y han sido aproximadas. El peso real puede variar.